D1577223

4.

18230

le savoir
caché des
alchimistes

C. A. BURLAND

LE SAVOIR CACHE DES ALCHIMISTES

Traduit de l'anglais par Jane Fillion

BIBLIOTHÈQUE
DES
GRANDES ÉNIGMES

Titre original :

THE ARTS OF THE ALCHEMISTS

© C. A. Burland, 1967.
Éditions Robert Laffont, S.A., 1969.
Imprimé aux États-Unis, 1975

A la mémoire de

Prêtresse de Celui qui est caché

Introduction

L'alchimie est un sujet dont nous avons tous entendu parler et qui cependant garde tout son mystère. A certains égards, elle appartient aux mystérieuses légendes du passé. Peut-être évoquons-nous les clairs-obscurs de cette célèbre eau-forte de Rembrandt, *L'Alchimiste,* ou encore certaines pages de Chaucer ou de Ben Jonson. L'alchimiste était-il un philosophe qui, plongé dans de mystérieuses recherches, découvrit les secrets de la transmutation ? N'était-il qu'un charlatan voué au culte du fantastique ? Ou tout simplement le précurseur des savants d'aujourd'hui ? Ou encore possédait-il cette connaissance occulte que nous ne pouvons espérer acquérir dans notre monde matérialiste ?

Aux yeux de ses contemporains, l'alchimiste était tout cela. Nous feuilletons ses ouvrages et nous sommes frappés par la beauté de leurs illustrations, le soin qu'il prit à les écrire, et les nombreuses obscurités des textes. Cependant, lorsque nous les étudions plus attentivement, nous y découvrons une philosophie s'égalant presque à une religion. Le sage vieillard, entouré de ses creusets et de ses fourneaux, se penchait sur de savants écrits qui le guidaient au cours de ses expériences. Il ressentait profondément le besoin de développer sa propre personnalité et d'entrer en contact avec l'univers tout entier. Et soudain il était illuminé par l'ultime révélation de la connaissance secrète. En effet, l'alchimiste croyait fermement qu'un pouvoir venu d'en haut l'avait éclairé à l'instant précis où il était prêt à recevoir la connaissance. On pensait alors que fabriquer de l'or était la consécration de toute une vie de travail et d'étude. A la lumière de notre civilisation, les dépenses qu'entraînait la fabrication de ces lingots d'or alchimique dépassaient de beaucoup la valeur réelle de ce noble métal.

Mais l'or exerçait sur l'alchimiste une fascination qui ne le laissait pas en repos. Ce voyage d'exploration était moins un processus chimique qu'une quête de la signification secrète de l'univers matériel tout entier. Et cette quête portait en elle-même sa propre justification. L'alchimiste apporta une aussi grande contribution à la connaissance de l'âme humaine qu'au développement de la chimie scientifique.

Nous nous attacherons, dans cet ouvrage, à retracer l'histoire de l'alchimie. Les alchimistes avaient beau être persuadés d'user, dans leurs officines, de méthodes toutes semblables à celles de leurs prédécesseurs, remontant jusqu'au mystérieux Hermès Trismégiste, nous n'en constatons pas moins que « l'art spagirique », comme ils l'appelaient, progressa au cours des siècles. Jusqu'à un certain point, *La Table d'Emeraude,* cette véritable table de la loi d'où ils tiraient, disaient-ils, toutes leurs connaissances, puisait ses origines dans le mysticisme de l'Egypte antique. Les gloses qu'elle suscita gagnèrent, par l'entremise de sages, le monde extérieur et se cristallisèrent dans ce haut lieu de rencontre de la pensée qu'était le *Museion* d'Alexandrie. De là, elles se répandirent dans l'Empire romain tout entier. Après la chute de Rome, de savants Arabes continuèrent d'étudier cette étrange philosophie scientifique. A leur tour, lettrés et érudits d'Europe la reçurent, au Moyen Age, des Arabes et l'enrichirent de leurs propres interprétations scolastiques. Au cours de la Renaissance, la pensée fut influencée à la fois par la découverte d'anciennes croyances mystiques et par le désir d'obtenir des résultats tangibles, ce qui nous permet d'explorer de nouvelles voies qui aboutissent d'une part au mysticisme chrétien d'un Jacob Böhme et, grâce à des hommes tels que Sir Isaac Newton, à des réalisations scientifiques.

Accompagner l'alchimiste dans l'étude de son art mystérieux est fascinant, car nous cheminons en compagnie d'un groupe de gens qui transmirent à nos temps modernes un peu des connaissances et des mystères du monde antique... une philosophie qui remonte si loin dans le passé que nous en sommes réduits, quant à sa véritable origine, à des hypothèses.

Nous ne pouvons mieux faire, pour conclure cette introduction, que de donner ici la traduction du texte par quoi débutait l'étude de tout bon alchimiste. Ce texte aurait été transmis par Hermès Trismégiste (le dieu égyptien Thot, divinité de la Sagesse) à Marie la prophétesse que beaucoup disaient être la belle Miriam, sœur de Moïse.

Il est vrai, sans mensonge, certain et très véritable : ce qui est en bas est comme ce qui est en haut, et ce qui est en haut est comme ce qui est en bas pour accomplir les miracles d'une seule chose, et de même que toutes choses ont été et sont venues d'un, ainsi toutes ces choses sont nées de cette chose unique par un simple acte d'adaptation créatrice.

Le Soleil en est le Père.
La Lune en est la Mère.
Le Vent l'a porté dans son ventre.
La Terre est sa nourrice.

Il est le père de tous les miracles du monde.
Sa force est parfaite ; lorsqu'il est transformé
En terre, il sépare la Terre du Feu,
Le subtil de l'épais ; avec prudence et douceur
Il monte de la Terre vers le Ciel
Et redescend aussitôt sur la Terre,
Et il unit en lui-même la force des choses qui sont en haut
Avec la force des choses qui sont en bas.

Tu auras ainsi toute la gloire du monde.
Et c'est pourquoi toute obscurité et toutes ténèbres s'éloigne-
[gneront de toi.

C'est la force forte de toute force
Car elle vaincra toute chose subtile.
Et pénétrera toute chose solide.

Ainsi le monde a été créé.
C'est pourquoi j'ai été appelé Hermès-Trismégiste
Car je possède les trois parties de la Sagesse de l'Univers.

Ce que j'ai dit de l'œuvre du Soleil
Est accompli.

Ce texte peut être interprété de plusieurs manières ; pour les alchimistes il était la carte marine qui les guidait dans le voyage de découverte où nous nous efforcerons de les suivre. Nos savants ont accompli, il est vrai, des transmutations d'éléments, à grands frais, dans des laboratoires de recherches atomiques. Et cependant, en dépit de toutes nos conquêtes intellectuelles, nous n'avons pas trouvé la clé de cette autre alchimie qui libérerait l'or étincelant des possibilités spirituelles de l'humanité. A nous de savoir si nous avons ouvert les portes de la connaissance au seul bénéfice de matérialistes « souffleurs », ou s'il nous faut continuer la quête de « cet or qui n'est pas l'or vulgaire ». Comme nous le verrons au cours de cet ouvrage, répondre à cette question n'est pas chose aisée.

CHAPITRE PREMIER

Materia confusa

O N ne peut définir de façon précise les origines de l'alchimie. Les premiers textes connus sont hellénistiques et, pour la plus grande part, alexandrins. Avant eux la race humaine avait déjà accompli un long parcours, et en eux se retrouvent les influences des nombreux peuples qui contribuèrent à créer le climat intellectuel, fort complexe, de la Méditerranée orientale au cours de la période hellénistique. Cette période où les Ptolémées régnaient sur l'Egypte et que caractérisa un grand bouillonnement intellectuel. Des philosophies perses, juives, grecques et égyptiennes ne cessaient de jaillir de nouvelles et fascinantes confrontations. Les discussions philosophiques étaient à ce point passionnées qu'elles se terminaient souvent par des rixes et même par des meurtres. Chacune des éphémères écoles de pensée était persuadée de détenir la vérité et estimait que son enseignement surpassait tous les autres. Les philosophes les plus sages ne vantaient pas leurs produits sur la place publique, mais s'efforçaient, travaillant en communauté avec leurs disciples, de percer les secrets de l'univers qu'ils concevaient à la fois inhérents

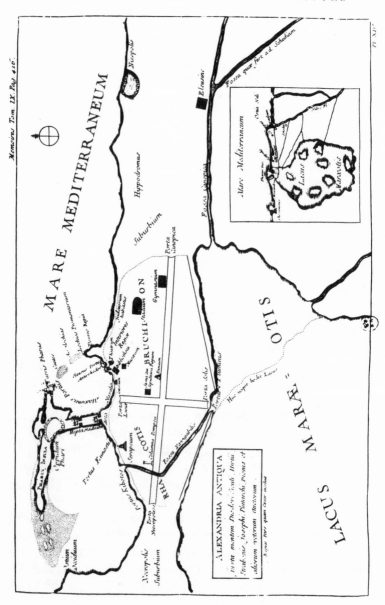

Plan de l'Alexandrie antique.

et extérieurs à leur individualité. Spéculer sur ce qui est partie intégrante de nous-mêmes n'est pas chose facile et cependant, à l'époque, comme de nos jours, ces philosophes voyaient dans de telles spéculations une impérieuse nécessité. Ce ne fut pas par hasard qu'Alexandrie fut le lieu de rencontre de telles études. Toutes les voies commerçantes du monde antique y convergeaient ; il était donc aisé de s'y rendre et en son cœur même, le *Museion* et sa bibliothèque, elle recelait la plus belle collection de matériaux d'étude du monde. On ne peut imaginer, et à juste raison, ce berceau de la connaissance hellénistique comme un lieu paisible. Port maritime, centre touristique, commercial et bancaire, foyer d'intrigues politiques, mais aussi de mystiques spéculations religieuses, Alexandrie devait être pour le lettré une ville à la fois passionnante et déroutante. Mais nulle part ailleurs il n'aurait trouvé une telle somme de connaissances et de telles possibilités d'échanges intellectuels.

Les méandres du cheminement de l'alchimie étaient nombreux. Elle devint une forme de pensée indispensable dès que l'homme eut maîtrisé cet étrange processus qui consiste à faire subir un certain degré de chaleur à certaines roches et à en transformer la nature, séparant les scories du métal étincelant. Puis vint l'autre merveille qui consista à mélanger deux métaux à l'état fluide, le nouvel alliage métallique présentant d'autres caractéristiques que ses deux composantes. Certains métaux se ternissaient et ne pouvaient être rendus à la santé que par un bain de sucs végétaux. Tous pouvaient être purifiés par un nouveau passage au feu qui les faisant fondre, brûlait les scories, ou par la cuisson et le martelage qui expulsaient les impuretés sous forme d'écume. Le roi de tous les métaux fut le premier connu, car il n'était pas mêlé, dans la nature, à d'autres substances minérales, mais se trouvait à l'état pur sous forme de paillettes étincelantes dans le lit des torrents. Même fondu, il restait lui-même, cet or brillant à l'éclat solaire. Il ne se corrodait pas avec le temps, ne pouvait être dissous par aucun acide et, d'une parfaite beauté, ornait tous ceux qui s'en paraient. Parce qu'il était rare et magnifique, l'or acquit aux yeux des hommes une grande valeur ; ils le troquaient, dans les temps anciens, contre les choses les plus précieuses, et c'est pourquoi en posséder devint symbole de puissance et de richesse. Et tout aussi simplement et naturellement qu'ils associaient dans leur esprit l'or au soleil, les hommes en firent le symbole du pouvoir royal.

Tout au long de l'histoire, on trouva de l'or dans des lieux aussi nombreux que variés ; le cuivre, l'étain, et l'argent, tout comme le platine, furent découverts, de leur côté, par les populations indiennes d'Amérique, au Pérou et en Colombie. On peut se livrer à d'interminables et vaines spéculations sur le lien qu'établirent, dans leur esprit, les hommes entre les métaux d'une part, les forces naturelles et les dieux, de l'autre. Ce lien se révéla de toute importance pour l'alchimiste qui associa de plus les métaux aux planètes. Si l'on établit un lien entre le cuivre et Vénus, ce fut sans doute aussi bien entre ce métal, l'étincelante planète, la déesse, et Chypre, ce qui introduisit ainsi ce symbole dans la civilisation égéenne. On ne trouve aucune trace de ce lien dans la tradition péruvienne. L'argent, par contre, fut associé à la lune aussi bien dans la vieille Amérique qu'en Europe. Ce lien s'explique tout naturellement par la blancheur de ce métal, mais nous ne devons pas oublier que dans la nature on le trouve souvent allié au lourd et terne plomb. C'est sans doute son point de fusion particulier et sa dureté qui donnèrent sa place à l'argent et c'est sans doute en raison de sa relative rareté qu'on lui accorda une valeur quasi égale à celle de l'or. Ce fut donc tout naturellement que l'on plaça la lune en

Arbre symbolique portant les métaux et planètes de même origine.
Musaeum Hermeticum. *Francfort. 1612.*

regard du soleil, la reine au côté du roi des métaux.

L'association du fer avec Mars fut certainement plus tardive, car si l'on excepte celui qu'apportaient les météorites, ce métal ne fut découvert qu'ultérieurement, probablement un peu avant l'an 2000 av. J.-C. dans la région du Caucase. Ses habitants durent faire cette précieuse découverte en usant de combustible dégageant une très haute température, tel le bois de chêne, ou encore en le faisant fondre sur de hauts plateaux venteux. Ce furent les astrologues de Mésopotamie qui identifièrent Mars à Nergal, dieu de la guerre. Peut-être établirent-ils également un lien entre ce métal et cette planète qui scintillait comme un feu lointain, ou évoquait pour eux une tête de lance en bronze. Ce dut être plus tard, lorsqu'à l'Age du Fer on forgea des armes dans ce nouveau métal, que l'on associa le fer à Mars, et le chaud et riche cuivre, à Vénus.

Il semble donc qu'à l'aube de la métallurgie le lien établi entre les métaux et les divinités planétaires n'ait pas dériv é, sauf dans le cas de l'or et de l'argent, d'une association d'idées apparente et naturelle. Les parallèles qui furent tracés par la suite entre métaux et planètes le furent certainement sous l'influence de savants astrologues plutôt que sous l'impulsion de sages ou de mages de tribus primitives. Les systèmes qu'adoptèrent plus tard les alchimistes doivent être considérés comme des associations purement cérébrales entre métaux et planètes, établies par des prêtres hautement qualifiés appartenant à des communautés civilisées.

Grâce aux progrès de la civilisation dans les régions méditerranéennes, on en arriva à extraire le mercure du cinabre, et se posa alors un nouveau mystère, celui d'un métal qui, à l'état liquide, se prêtait à d'étranges amalgames avec d'autres métaux dont il pouvait à nouveau être extrait. La nature changeante de ce métal liquide conduisit tout naturellement à le comparer au jeune Mercure, si changeant lui aussi, que l'on identifia à la magique personnalité d'Hermès, messager des dieux.

Ce qui précède tente à prouver que l'alchimie se développa principalement en Méditerranée orientale. Nulle part ailleurs ne se trouvait un si juste équilibre entre les connaissances philosophiques et la technique.

Les doctrines fondamentales de l'alchimie se muèrent peu à peu en rites religieux, si souvent liés à l'astronomie que l'on peut, sans risque de se tromper, y déceler l'influence de croyances babyloniennes. La conception des sphères planétaires et des hiérarchies dans le pouvoir créateur est nettement d'inspiration sémitique et se rattacha à la forme de pensée du Moyen-Orient bien avant que la Kabbale n'en donnât une définition. La conception des rites et de la création, si évidente dans la doctrine alchimique, relève sans aucun doute du mode de pensée égyptien. Comme nous l'avons vu, la célèbre *Table d'Emeraude* elle-même est si étroitement liée aux doctrines égyptiennes que nous serions tentés de l'attribuer à un collège de prêtres égyptiens plutôt qu'à des alchimistes.

Ainsi que nous l'apprend E. J. Holmyard, on trouve dans les textes les plus anciens, considérés par les alchimistes comme la base même de leur art, des données sur la technique de la dorure ; il en ressort que la préparation d'alliages n'impliquait pas nécessairement que la recherche de la Pierre philosophale n'avait d'autre but que la fabrication d'or pur à des fins uniquement matérialistes. Il est fort possible que ces textes ne soient en réalité que des fragments de traités techniques dont s'étaient emparés des philosophes qui y trouvaient des formules s'adaptant parfaitement aux croyances religieuses qu'ils enseignaient.

En dépit des nombreux obstacles que nous rencontrons lorsque nous cherchons à remonter aux sources mêmes de l'alchimie, il n'en est pas moins vrai que nous trouvons un courant de pensée continu aussi bien chez les Grecs que chez les Egyptiens, c'est-à-dire une conception philosophique de la nature de l'univers. Cette pensée fondamentale que la matière, tout comme la terre noire d'Egypte, surgit d'une *massa confusa* originelle lorsque la Sagesse de Dieu prononça les mots tout-puissants, est l'essence même de toute alchimie. C'est cette féconde étincelle qui se dégage de la *Table d'Emeraude,* et on l'attribue à Hermès, assimilé à Thot, la Sagesse de Dieu, et poétiquement incarné en un être à tête d'ibis. En effet, le symbolisme poétique est une des sources du mode d'expression alchimique. C'est ainsi que l'alchimie établit un parallèle entre la transformation du minerai en métal et l'évolution, aussi bien de l'être humain que de l'univers. Le but espéré était l'atteinte d'un certain degré de perfection d'où, dans tous les ordres de la nature, l'on parviendrait à la suprême perfection symbolisée par l'or.

Connaître la voie qui mène à la perfection était une des typiques doctrines ésotériques exposées ouvertement dans des ouvrages et des manuscrits, mais de façon si obscure que seul l'initié pouvait en pénétrer la véritable signification. Dans l'Egypte des Ptolémées, tout comme dans le Moyen-Orient tout entier, les prêtres adoptaient la ligne de conduite caractéristique qui consistait à enseigner oralement les rites qu'ils transcrivaient dans un système archaïque d'écriture, tant cunéiforme que hiéroglyphique, que la masse illettrée des citoyens ne pouvait déchiffrer. La mystique de cette période reposait sur de secrètes connaissances qui ne pouvaient être révélées que par initiation et observance des rites au néophyte qui aspirait à s'engager dans la voie secrète de la salvation. Il deviendrait alors, par transmutation, un être pur. Ceci est vrai également des Mystères d'Eleusis où l'on attendait de l'initié qu'il démontrât son nouvel état de perfection par la sagesse de ses propos et son égalité d'âme devant les vicissitudes de l'existence.

Le mythe archaïque de l'apparition d'une vie nouvelle jaillissant du limon du Nil sous l'influence du soleil représente l'apport de l'Egypte à ces doctrines, apport qui se perpétua au cours des siècles d'évolution de la pensée égyptienne. Les dieux étaient sans cesse présents dans toutes les manifestations de la nature aussi bien qu'au cours des cérémonies religieuses. C'est à Alexandrie que prit naissance

Le second Hermès. Panthéon égyptien *de Champollion. 1823.*

une nouvelle forme de pensée qui aboutit au culte gréco-égyptien d'Asar-Hap ou Sérapis. Philosophie grecque et cultes ésotériques s'incorporèrent sans trop de difficulté dans les doctrines égyptiennes. Alexandrie était également le lieu de rencontre de toutes les nations : campement militaire perse ; corporations de commerçants et d'enseignants syriens ; voyageurs venus de l'Inde à Carthage ; importante communauté juive. Groupée dans un agréable quartier en bordure de mer, celle-ci édifia une immense synagogue, paisible lieu de culte et de réunion. Ainsi dans une seule et grande cité étaient représentées toutes les formes de pensée qui permirent au mysticisme alchimique d'atteindre son plein développement. Y étaient également installés des artisans habiles à travailler le verre et le métal, maîtres d'une technique qui resta inchangée près de mille ans.

C'est au *Musée* que battait le cœur même d'Alexandrie. Les premiers Ptolémées s'étaient attachés, non seulement à construire cette cité, mais à la doter d'institutions en avance sur leur temps et qu'aucune autre ville de l'époque ne possédait. Ptolémée Philadelphe, en particulier, encouragea les sciences et les arts, multipliant ses efforts pour enrichir de nouveaux ouvrages son magnifique Temple des Muses. On pouvait, dans cet édifice, se livrer à la lecture, à la copie de manuscrits, à de doctes études, et établir des comparaisons entre les produits et spécimens artisanaux et les écrits des temps passés. Il n'existe rien, dans le monde actuel, qui puisse se comparer à ce *Musée,* à l'exception peut-être du British Museum de Londres. Au cours de ses huit siècles d'existence, le *Musée* d'Alexandrie favorisa non seulement l'éclosion de ce qui devait constituer la base même de l'alchimie, mais également les hérésies et philosophies de l'époque.

La Grèce apporta à cette science, appelée par la suite alchimie, un processus de raisonnement totalement différent de l'empirisme égyptien et de la magique poétique. Ce pays avait déjà donné naissance à des philosophes et à des mathématiciens de tout premier ordre qui s'étaient penchés sur la structure de l'univers. Ils en étaient arrivés à la théorie de la structure atomique de la matière et en avaient conclu qu'il devait exister un élément structurel de base. Ne possédant pas nos moyens actuels d'analyse, le philosophe se trouvait dans l'impossibilité de saisir la complexité du système atomique. Pour lui, l'atome était la particule la plus petite possible de toute substance. Et il voyait dans les substances de base un composé des éléments fondamentaux contenus dans la nature.

Ces éléments théoriques étaient la Terre, l'Air, le Feu et l'Eau, ce qui est, lorsqu'on y réfléchit, une définition tout à fait défendable de la nature. Prenons une quelconque substance matérielle et chauffons-la sur une plaque de métal ; elle suintera de l'humidité, l'élément *eau ;* puis elle laissera échapper de l'*air,* ou du gaz comme nous l'appellerions aujourd'hui ; ensuite, selon toute probabilité, elle prendra *feu* et nous nous trouverons finalement devant un petit tas d'une substance *terreuse* calcinée. Voilà sur quelles bases empiriques était bâtie l'antique théorie des éléments, fondement de la chimie des alchimistes. Selon le mode de pensée de la Grèce antique, il devait être possible, en variant les combinaisons de substances élémentaires, de créer de la matière. Pour ceux qui partageaient cette croyance, rien de plus aisé à leurs yeux que de voir dans le travail empirique des métallurges, qui s'efforçaient de perfectionner la couleur du bronze, ou la technique de la dorure, une méthode permettant, par de nouvelles combinaisons de matières, d'en produire de plus nobles.

Aristote, qui mourut dix ans après la fondation d'Alexandrie, jeta les bases de futures spéculations sur la matière en associant aux éléments leurs propriétés. La mise en regard du Chaud, du Froid, du Sec et de l'Humide avec le Terre, l'Air, le Feu et l'Eau aboutit à d'innombrables combinaisons qui enrichirent considérablement l'idée première. On représente souvent la théorie d'Aristote par un carré dont les angles s'inscrivent au milieu de chacun des côtés du carré qui le contient. En fait, la théorie aristotélicienne touchant à la nature de la matière continua de prévaloir parmi les lettrés pendant près de deux mille ans,

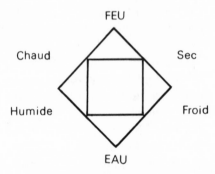

Le carré d'Aristote.

car elle paraissait éminemment logique et ils ne disposaient pas de l'appareil scientifique qui leur aurait permis de la vérifier. Rien de surprenant alors que les alchimistes aient pris pour base de leurs travaux les quatre éléments et leurs propriétés ; tout homme de savoir était donc amené à adopter cette façon de raisonner.

Selon toute probabilité il n'exista pas de véritable « école » d'alchimistes dans l'Egypte des Ptolémées pas plus d'ailleurs qu'en aucune partie de l'Empire romain. Cependant d'Alexandrie s'écoulait un flot ininterrompu d'idées qui ultérieurement canalisé conduisit à un concept unifié. Mais il nous faut toujours garder présent à l'esprit que la philosophie qui traitait de la nature des rapports

de l'homme avec l'univers fut à l'origine même de toutes
les expériences ultérieures. Tout ce que tentèrent par la
suite les alchimistes, c'est à la philosophie des Anciens qu'ils
le durent, à cette philosophie dont les bribes nous furent
transmises, à l'Age des Ténèbres, grâce aux feuillets noircis
qui échappèrent à l'incendie de la bibliothèque d'Alexandrie.

Le syncrétisme de la religion romaine permit que se
propagent dans l'Empire tout entier les doctrines hermétiques. Au temps des Ptolémées, ces idées s'étaient répandues grâce aux doctes enseignements des grands prêtres
d'Egypte. A l'époque romaine, elles furent adoptées par
des communautés religieuses dont chaque membre aspirait
au salut. Il n'existait pas, cependant, de groupes d'érudits
se vouant entièrement à l'alchimie ou à la salvation. Au
culte de Sérapis s'ajoutait celui d'Isis, infiniment plus profond et d'un plus riche contenu émotionnel, décrit de façon
si émouvante par Apulée dans son *Ane d'or*. L'astrologie
donnait également lieu à d'innombrables cultes, et dans
l'Empire romain tout entier nous trouvons les symboles planétaires qui devinrent par la suite des symboles alchimiques.
Mais il n'existait pas, chez les Romains, l'équivalent des
« souffleurs » du Moyen Age, car les artisans qui traitaient
les métaux précieux le faisaient dans un dessein pratique
précis, en vue d'un gain matériel, et non pour édifier une
doctrine philosophique. Les membres de leurs guildes s'ap-
puyaient sur des manuscrits et recevaient les attestations
de leur habileté technique qui leur permettaient de tenir
leur rang dans la société ; mais en règle générale, ils ne
mêlaient à leur art ni philosophie ni doctrines ésotériques.
Les divinités protectrices des artisans appartenaient généralement à la religion d'Etat et n'étaient en aucun cas considérées comme génératrices de miracles capables de faire
exécuter à leurs adorateurs des œuvres d'art dépassant les
capacités humaines. Le côté mystérieux des corporations

commerçantes de l'époque romaine se ramenait en réalité au mystère dont s'entourèrent, tout au long des siècles, les artisans pour empêcher que leur art ne soit divulgué aux travailleurs non qualifiés.

En plus des doctrines philosophiques à l'intérieur même de l'Empire romain, se manifestaient, à ses confins, d'autres courants d'idées qui exercèrent ultérieurement leur influence, en Europe, sur la pensée alchimique. On retrouve dans la mythologie, aussi bien des Celtes que des Scandinaves, ce symbole qu'est la résurrection par le feu, ainsi que des récits appartenant au domaine du merveilleux où l'on voit des dragons et des serpents-feu garder les trésors invisibles que recèle la terre en son sein. On ne peut se plonger dans la littérature alchimique du Moyen Age sans avoir constamment à l'esprit la mythologie préchrétienne des peuples vivant au nord de l'Empire romain. Rien d'étonnant à cela si l'on songe qu'ils furent les ancêtres des guerriers de ce qu'il est convenu d'appeler l'Age des Ténèbres et qui fondèrent une nouvelle civilisation sur les bases solides de la tradition romaine. Le patrimoine médiéval ajouta un symbolisme d'une romantique beauté au rationalisme des classiques.

En Extrême-Orient, la conception alchimique de la recherche de l'or symbolisant le perfectionnement de la personnalité se développa d'une manière toute différente. Il n'existait sur ce sujet qu'un rapport lointain avec la conception européenne, à cette exception peut-être que des raisons psychologiques donnèrent naissance à des visions et à des formes de pensées similaires dans les deux religions. Cependant il dut y avoir quelques échanges d'idées, dus non seulement à de rares contacts commerciaux directs, mais aussi à l'expansion de cette hérésie des débuts du christianisme que fut le manichéisme. Cette doctrine, d'origine perse, se répandit en Europe, tout spécialement en France où ses adeptes furent appelés les Albigeois, et également en Chine où s'édifia une puissante Eglise manichéenne. C'est ainsi que s'établit, pendant des siècles, un lien philosophique sans qu'il y eût contact direct entre ces deux et lointaines régions.

C'est pourquoi, au moment de la chute de Rome et de l'avènement, en Chine, de la dynastie Han, il existait de par le monde diverses disciplines philosophiques contenant des bases suffisamment scientifiques pour donner naissance à la pensée alchimique. Ces données, expressément formulées, ne le furent jamais de façon aussi détaillée que lorsqu'au classicisme des Anciens succéda la tradition médiévale. La confusion des idées fit place à une discipline basée sur de simples hypothèses.

La technique de la métallurgie allant se perfectionnant, il était presque fatal que l'étude de l'univers et de l'être humain donnât naissance à la doctrine alchimique. Les différentes phases par où passe un métal au cours de sa transformation rappellent étrangement le symbole typiquement médiéval de l'être jeune qui doit d'abord subir l'épreuve du feu, puis accomplir un long voyage avant de renaître. Qu'un tel symbole se retrouve dans de nombreux mythes n'a rien pour nous surprendre. Mais ce qu'il y a de remarquable, c'est que toujours l'on retrouve les phases successives de la transformation par ces processus millénaires que sont la fonte et l'affinement. Le manque de connaissances techniques des philosophes créa bien des confusions dans les esprits. Mais le Monde antique avait jeté les bases de l'évolution à venir. Lorsqu'aux progrès techniques de la métallurgie vint s'ajouter la conception aristotélicienne de la nature de la matière, un pont fut jeté qui permit au philosophe d'établir un parallèle entre le processus qui aboutissait, en dernier ressort, à la fabrication du plus parfait des métaux, l'or pur, avec ce pro-

cessus intérieur par lequel l'âme, purifiée par le feu, renaî-
trait dans un état de perfection, c'est-à-dire à l'état d'or
spirituel.

Il existait un troisième courant dérivant d'anciennes doctrines philosophico-religieuses qui liait le thème de la transformation au rythme de la nature et aux fonctions sexuelles
créatrices. Mais lorsque le philosophe s'en empara il sublima
le symbolisme de ces croyances primitives. Ce symbolisme,
on le retrouve néanmoins dans les rites et dans les arts,
et de façon plus hermétique dans les controverses alchimiques. C'est là sans doute chose toute naturelle. L'authentique alchimiste était un être à part, trop cérébral peut-être
à bien des égards, et qui se fixait un but infiniment plus
élevé que celui que lui offrait la vie quotidienne. De ce
fait, il était amené à réprimer en lui les manifestations
érotiques qu'il compensa par la suite en les exprimant sous
une forme picturale.

Disque en bronze de provenance irlandaise. Époque de La Tène.

CHAPITRE II

Calcination

AU cours des siècles de ténèbres, le monde occidental s'embrasa. Les peuplades des confins de l'Empire romain, jusque-là mercenaires, accédant à la civilisation, prirent conscience de leur force et de leurs capacités, et envahirent de vastes régions qu'elles ne tardèrent pas à tenir sous leur coupe. Puis vinrent les grandes invasions des Huns déferlant des steppes de l'Asie centrale. L'immense supériorité numérique et tactique de ces cavaliers consommés jeta la panique dans l'Europe tribale tout entière. Les peuples fuyaient devant ces armées redoutables. Certains devinrent eux-mêmes des conquérants, poussant les populations des régions limitrophes à s'enfuir, ou à combattre, et c'est ainsi que le choc répété des armées transforma l'Europe tout entière, et cela jusqu'à la Bretagne, en un vaste champ de bataille.

Dans l'Empire occidental, le consul romain Aétius contint l'avance des Huns, mais au-delà du Rhin le pays cessa d'être européen. Il fit désormais partie de l'immense territoire sur lequel régnait le terrible Attila. Les luttes qui déchirèrent l'Europe à cette époque furent célébrées par

Les chevaliers de la Table Ronde. Manuscrit méd éval.

des mythes tels que la sombre fin des Nibelungen et l'hé-
roïque et mélancolique épopée du roi Arthur.

Les Vandales déferlèrent à leur tour du nord, mirent
Rome à sac et créèrent les royaumes d'Algérie et du Maroc.

Les Goths s'infiltrèrent partout et instaurèrent en Espagne un riche royaume barbare. Cependant, protégé par la défense naturelle de ses fleuves et de ses montagnes, l'Empire byzantin tint bon et continua d'abriter en son sein une culture et une civilisation poussées à un très haut degré.

L'état chaotique de l'Occident était dû à son impuissance à contenir la pression qu'exerçaient sur lui les Barbares venus des vastes plaines d'Asie. Les populations, cherchant par tous les moyens à leur échapper, s'enfuyaient par vagues successives vers l'ouest et le sud. Les régions occidentales de l'Empire romain n'étaient désormais plus des centres de culture. Il en subsistait quelques-uns aux confins du royaume des Francs et de celui des Goths, en Espagne. Les royaumes africains des Vandales tombèrent entre les mains de Bélisaire, ce grand général byzantin. Grâce à cela, même dans les périodes les plus sombres, quelques rares échanges commerciaux se perpétuèrent entre Byzance et l'Occident.

Doctrines mystiques ou alchimiques n'avaient pas place dans ce monde occidental bouleversé. La vie y était trop dure et trop précaire. La religion y était représentée, en Occident, par le catholicisme ; en Espagne et en Afrique du Nord, par un arianisme teinté de gnosticisme, tandis qu'en Orient régnait la sage et paisible Eglise byzantine à la profonde philosophie.

Au nord et à l'ouest, le culte de Wotan et des autres dieux ases avait gagné du terrain, reléguant à l'écart du courant principal, les Celtes chrétiens. Cependant, il subsistait dans la mystique de la religion primitive aussi bien des Celtes — modifiée par l'Eglise — que des païens, un patrimoine de légendes ayant trait à l'or, aux dragons, au feu mystique, patrimoine qui joua un rôle primordial dans la doctrine alchimique. Il convient de toujours garder présent à l'esprit que la culture médiévale occidentale avait de multiples origines. L'évolution de l'alchimie à sa grande époque nous devient ainsi plus claire. Il y avait des raisons historiques aux formes que prirent les visions des alchimistes dans les manuscrits dont nous nous sommes servi pour illustrer cet ouvrage.

Pendant un siècle et demi, ce fut à nouveau sur sa terre d'origine qu'évolua la civilisation. Le magnifique Empire byzantin englobait la Grèce. l'Italie méridionale, l'Asie Mineure, la Syrie, la Palestine, l'Egypte et l'Afrique du Nord. Cet empire avait été christianisé, mais sous une forme assez spéciale, parce que l'empereur Constantin en avait été le véritable fondateur et que grâce à lui la civilisation romano-chrétienne avait été préservée d'une totale destruction par les envahisseurs. Mais le bercail byzantin abritait de nombreux troupeaux dont certains bien indisciplinés. Suivant la règle générale, les foyers de dissidence se trouvaient principalement en Egypte et en Syrie. En Egypte, les croyances populaires primitives se perpétuaient dans le folklore et dans les rites de l'Eglise copte. En Syrie, la doctrine manichéenne donna naissance à des hérésies qui, fermement réprimées, n'en réapparaissaient pas moins avec persistance. Jusqu'à un certain point, les Manichéens semblent avoir tiré profit de l'invasion des Huns. Leur doctrine se répandit sur les confins de l'Empire byzantin, atteignit, à l'ouest, la France, et, à l'est, le domaine oriental des Huns, où se développa, en Chine occidentale, une puissante communauté manichéenne. L'immense décor était maintenant planté d'où se répandraient les idées qui devaient par la suite se cristalliser dans l'œuvre des alchimistes. Il n'y avait rien de primaire dans cet éventail d'idées, car elles avaient été répandues par des maîtres ayant une formation philosophique. Les doctrines qui inspiraient les divers cultes hérétiques étaient parfaitement raisonnées. A notre point de vue, les bases en étaient bien souvent fausses, mais il ne faut pas oublier qu'à l'époque on ne connaissait pas encore la structure de l'univers. Il existait d'une part les vérités fondamentales théologiques, et de l'autre la conception aristotélicienne des quatre éléments. Partant de ces bases, on pouvait parvenir à une conception spirituelle de la nature de la Création, mais la connaissance de la structure matérielle de l'univers était fatalement très limitée. Il devait donc se produire des heurts entre théoriciens et expérimentateurs, et entre ceux-ci et l'Eglise d'Etat. C'est pourquoi l'alchimie, au cours de son évolution, s'entoura de secret et de mystère et ne s'exprima que par symboles et allusions lorsqu'elle ne s'adressait pas à des initiés.

Il nous faut nous arrêter ici pour considérer à loisir le point où en était arrivée l'alchimie, et le matériel tant théorique qu'instrumental dont elle disposait dans les débuts de l'Empire byzantin. Selon toute probabilité un grand nombre de documents ont disparu, mais les œuvres que nous citerons au cours de cet ouvrage devaient être d'une importance capitale puisqu'elles sont parvenues jusqu'à nous grâce à des copies de copies. Le premier et le plus valable de ces textes est celui que nous avons cité dans notre introduction : *La Table d'Emeraude.* Il est clair que l'on ne peut l'attribuer de façon certaine à Hermès Trismégiste puisque celui qui portait ce nom de Trois Fois Grand n'était autre qu'un dieu que l'on assimilait à Tehuti, ou Thot, divinité de la sagesse. Tout laisse à supposer que ce texte, tel qu'il est parvenu jusqu'à nous, fut tiré. à Alexandrie, d'un texte plus ancien d'origine liturgique. Si nous nous en tenons à cette supposition qu'à l'origine beaucoup plus important, et par la suite abrégé, il servit de « bible » à une petite secte ésotérique d'Alexandrie, nous en comprendrons probablement mieux le sens. Le contenu n'en est pas explicitement alchimique, et cependant il renferme un certain nombre d'idées aisément exprimables en termes alchimiques. Il est certes intéressant d'en rechercher les origines, mais tout laisse à penser que jamais nous n'éclaircirons ce mystère, ce qui n'a d'ailleurs pas grande importance puisque dans la forme sous laquelle il nous est parvenu, il fut la base dont s'inspirèrent tous les autres, la source même, pendant vingt siècles, de l'alchimie.

Une autre figure, tout aussi ambiguë et qui joua elle aussi un rôle capital, fut Marie la Prophétesse qu'on disait être Miriam, sœur de Moïse, et que l'on appelait également Marie la Juive. Il est plus que probable que derrière ce nom se cachait une femme alchimiste d'Alexandrie. Dans la doctrine alchimique, on l'associait à un trio d'alchimistes également fameux. On lui attribuait nombre d'ouvrages et de formules aussi variés que répandus et qui touchaient même, par certains aspects, à la liturgie chrétienne. Quoi qu'il en soit, il ne fait aucun doute qu'il exista une Marie, ou Miriam, d'une culture et d'une intelligence remarquables. On lui attribuait également l'invention d'un vase clos à trois becs, d'une forme spéciale, pouvant s'adapter à l'appareil à reflux, plus ancien, et qui permettait de distiller trois types de liquides différents dans les trois cornues qui y étaient rattachées. Le dôme de ce vase clos était en forme de sein et sous l'effet de la chaleur les vapeurs qui s'y élevaient produisaient, en retombant, des liquides mieux distillés ; ceux-ci s'écoulaient par les trois becs dans les trois cornues, et non par la sorte de mamelon que laissait au sommet du dôme le souffleur en en brisant la tige.

Mais par-dessus tout l'on disait être redevable à Marie la Prophétesse d'un ensemble d'aphorismes alchimiques que j'aurai à bien des reprises l'occasion de citer. Ils sont parfaitement clairs pour celui qui s'est familiarisé avec la terminologie alchimique, mais chargés d'un contenu poétique, ils incitèrent ultérieurement à des spéculations d'ordre mystique.

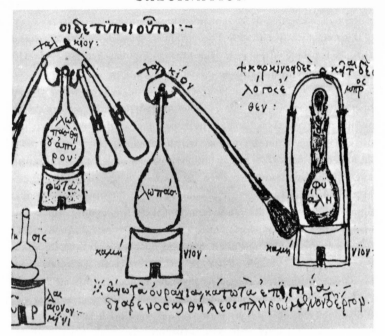

Alambics et vases à digestion.

On doit également à Zosime et à Dioscoride la fabrication d'appareils préfigurant l'alambic. Ces deux alchimistes s'attachèrent principalement à la distillation du mercure et à la purification des métaux, ce qui les amena à mettre au point certains et précieux acides corrodants. F. S. Taylor a démontré que dans leurs travaux ils se préoccupaient davantage d'opérer de nouveaux alliages métalliques que de produire par n'importe quel moyen de toujours plus grandes quantités d'or pur. Il semble en effet que les alchimistes les plus anciens se soient avant tout attachés à une sorte de chimie rituelle où donner à de vils métaux l'apparence de l'or n'était autre que le symbole de l'évolution qui se produisait chez l'homme après son initiation au mystère.

On ne trouve que de rares allusions à un prêtre officiant devant un autel, et décrivant allégoriquement les différents états de l'âme par la fonte de minerai, la purification et la dorure de métaux jusqu'à la transformation de l'être en or spirituel. Cependant le fait de placer le fourneau alchimique sur un petit autel est certainement la représentation symbolique et visuelle du mystère qui se produit. On distingue, au sommet du vase clos, la rotation et la distillation du liquide, puis la retombée du mercure, qui, amalgamé à de l'or, et à nouveau et à plusieurs reprises distillé, offrait bientôt toutes les apparences de l'or pur. On retrouve là, une fois de plus, les quatre éléments. La Terre (pierre ou minerai à l'état de poudre) était introduite dans ce fourneau, puis soumise à l'action du Feu. L'Air s'en échappait sous forme de gaz et de vapeurs, et l'Eau, ou tout autre liquide tel que le mercure ou des acides dilués, y était distillée. Pour les initiés, c'était là une opération d'une haute signification. De mystérieux pouvoirs leur étaient impartis, car les transformations qui s'effectuaient dans le fourneau et dans le vase clos, ou *kerotakis,* posé sur l'autel, donnaient de magnifiques résultats qui, espéraient-ils, se produisaient également en eux-mêmes. Ces initiés s'étaient certainement rendu compte des analogies qu'offrait l'alchimie avec la structure et les fonctions du corps humain. Ce fut sans doute à cette époque qu'ils commencèrent à prendre conscience du rapport qui existait entre ce processus et la vie sexuelle, mais cela en toute innocence, et la sexualité tient dans leurs doctrines une place infiniment plus voilée et moins crue que dans la plupart des religions de l'Antiquité.

Nous manquons totalement de textes nous permettant d'affirmer que les alchimistes étaient des savants à la recherche de vérités nouvelles. Ils tentaient tout simplement de donner une nouvelle interprétation de cette symbolique de la nature à laquelle les grands initiés de l'Antiquité

Dioscoride et un étudiant.
De materia medica *de Dioscoride. Manuscrit de 1226.*

accordèrent une si haute signification. Tout comme le firent les alchimistes qui leur succédèrent, ils se tournaient vers les temps passés, vers les cultes et les pouvoirs magiques des Anciens. Dans la contemplation et l'étude de l'œuvre de Dieu se manifestant dans les forces de la nature, ils parvinrent à un état spirituel plus élevé, et en cela ils firent œuvre utile. De plus, le fait que ces initiés accomplissaient un véritable rite contribua à insuffler à leurs doctrines un contenu émotionnel, et de leur subconscient jaillirent de nombreux archétypes qui colorèrent l'idée qu'ils se faisaient consciemment des lois qui régissaient l'univers.

On a émis la supposition que le Soufre Parfait, tel qu'on l'employait pour produire un état d'extase au cours de cérémonies religieuses, n'était autre que les vapeurs sulfureuses produites par la distillation des œufs. Ces vapeurs avaient la propriété de teinter de façon superficielle certains métaux. L'alchimiste qui se livrait à une telle expérience constatait que sous l'effet de la chaleur s'élevaient de la masse calcinée des vapeurs blanches qui attaquaient le métal ; par convection elles étaient à nouveau soumises à la chaleur jusqu'à ce que la masse calcinée devînt d'un rouge incandescent. Les métaux oxydés en surface acquéraient alors les couleurs mystiques de l'arc-en-ciel. Cette iridescence est familière à tous ceux qui ont eu l'occasion de voir un creuset empli de plomb fondu, mais pour l'alchimiste son apparition annonçait, tel le paon faisant la roue, l'achèvement de l'œuvre. Mais de quelle œuvre ? Avec les appareils dont ils disposaient alors, les alchimistes ne pouvaient obtenir des résultats pratiques. Cependant, de nos jours, certaines expériences effectuées en France laissent à supposer que des distillations répétées dans un vase de cristal clos peuvent produire des effets chimiques inattendus. Mais les raisons qui poussaient les alchimistes à répéter sans fin, et avec dévotion, la même expérience devaient être purement empiriques. En effet, ils ne possédaient aucun des moyens modernes dont nous disposons pour évaluer la valeur scientifique des résultats de leurs travaux.

Certaines distillations alchimiques aboutissaient à des résultats tangibles, tandis que d'autres n'étaient que la projection de la pensée des initiés. Le côté matériel de leur art n'était qu'un rite de routine, mais sa signification spirituelle revêtait une extrême importance. Le professeur C. G.

Jung a souligné la valeur symbolique du Serpent-Univers représenté par un serpent se mordant la queue. La célèbre représentation picturale tirée du papyrus de Leiden, *Cléopâtre fabriquant de l'or,* nous montre un dessin schématique de l'appareil à distillation conçu par Marie la Juive, ainsi que l'illustration symbolique du serpent se mordant la queue. Ce serpent, moitié ombre, moitié lumière, rappelle le mythe chinois du Yin et du Yang. Y sont également représentées la lune et quatre étoiles... Sont-ce là les étoiles des quatre quartiers de l'année ? On remarque aussi, accompagnant un texte philosophique en langue grecque, et placé dans un cercle, un petit dessin montrant la nouvelle lune, le croissant de la lune dans sa phase déclinante, et un rayon, symbole de l'or. Nous pouvons donc en conclure que la philosophie, même à cette époque, c'est-à-dire en l'an 250 de notre ère, accordait dans les rites une large place à l'élément temps. Voici la traduction de ce texte d'une extrême importance : « Un est le Serpent dont le poison est double, et Un est le Tout, par lui le Tout, et dans lui le Tout, et si vous n'avez pas le Tout, le Tout n'est rien. » Ceci bien entendu se rapporte au serpent Ouroboros, ici désigné par « Un est le Tout ». On ne peut trouver meilleure image, ou illustration, de la nécessité pour l'homme de reconnaître le lien profond qui unit le conscient au subconscient, cette partie obscure de notre être. En langage alchimique, nous avons ici la parfaite illustration de ce que Jung a appelé « l'individuation ». C'est cette unité de la personnalité s'ajoutant à une connaissance des réalités d'une profondeur dépassant l'entendement du plus grand nombre qui inspira les alchimistes. Tout comme les initiés aux Mystères d'Eleusis parvinrent, par une autre voie, à une conception identique de l'unité de l'âme.

Le philosophe grec que nous ne connaissons que sous

le nom de Zosime a décrit en détail des visions qu'il inventa peut-être de toutes pièces, mais qui semblent cependant relever d'une véritable illumination. Le visionnaire voit un autel en forme de vasque au sommet d'une volée de marches ascendantes. Au cours de trois étapes successives, un prêtre est entièrement détruit sous ses yeux ; chacune de ces étapes correspond à la nature profonde du visionnaire, comme s'il manifestait certains aspects de sa personnalité, puis s'en dépouillait au cours de sa montée vers l'autel-vasque de la connaissance. (On notera la similitude avec le Chaudron de Keridwen dans la mythologie celte.) Un prêtre y est coupé en morceaux et avant que ses membres ne soient détruits par le feu, il se vomit lui-même sous forme d'un homuncule. Un homme de cuivre est détruit et revit sous l'aspect d'un petit homme vêtu de rouge. Un personnage à l'allure de prophète, blanchi par l'âge, est alors jeté dans le chaudron. Finalement, le porteur du Méridien du Soleil est lui-même démembré et le visionnaire perce enfin le mystère. Nous nous trouvons là, sans aucun doute, devant le symbole temps, car c'est seulement quand la période est favorable qu'un mystère, en apparence insoluble, trouve sa solution. Le visionnaire a gravi les sept marches de la sagesse. Aujourd'hui des mathématiciens y verraient peut-être l'illustration d'une existence ascendante multidimensionnelle, à un stade dépassant notre univers à trois dimensions. Mais pour l'alchimiste ce n'était là qu'une vision poétique exprimant une conception tout intérieure de l'âme et de l'univers. Il semble que cette conception soit étroitement associée au développement, par étapes successives, de l'embryon, de la fécondation à la naissance ; tout au moins c'est à cette conclusion que nous conduit le texte des entretiens de Cléopâtre avec les philosophes.

Nous avons ici la preuve qu'à l'époque de la fondation

de l'Empire byzantin la pensée alchimique avait atteint un niveau philosophique, indice d'un passé aussi riche que mystérieux. Partant de là, elle s'engagea sur la voie de la découverte, non sans de constants retours en arrière à la recherche de ses sources. Et chose étrange, nous retrouvons là le symbole du serpent se mordant la queue.

Pendant un siècle et demi l'alchimie continua de se maintenir aux confins de l'Empire byzantin. De nombreux prêtres-philosophes appartenant à la religion d'Etat se pen-

Gravure illustrant le Tripus aureus *de Michael Maier paru à Francfort en 1618.*

chaient sur ce problème qu'était le rapport entre Dieu et Sa Création, mais de nombreux sentiers s'écartaient de la voie orthodoxe de l'époque. Rien ne nous permet de supposer que, soit l'Eglise, soit l'Etat aient encouragé une évolution dans l'interprétation que donnait l'homme des divins mystères. C'est pourquoi l'orthodoxe, misant sur sa sécurité, préférait ne pas s'aventurer dans le domaine des spéculations. Il ne fait aucun doute que c'était la meilleure attitude à adopter au cours de cette période. Ce qui subsistait du gnosticisme ne doit pas être envisagé comme une véritable philosophie, mais bien plutôt comme un ensemble de spéculations magiques. Les doctrines des Ariens, en Occident, et des Manichéens, en Orient, jetèrent la confusion dans l'esprit de ceux qui enseignaient la vraie religion, c'est pourquoi les adeptes de ces hérésies furent persécutés sans trêve ni repos. Et c'est également pourquoi la tradition alchimique ne se perpétua qu'aux régions frontières qui devaient ultérieurement être envahies par les Sarrasins. Les philosophes byzantins qui traitaient de l'alchimie vivaient aux frontières de la Perse et loin de la Cour. S'il exista une tradition alchimique en Europe occidentale, elle fut balayée par les armées arabes. Rien ne nous permet d'affirmer que cette tradition resurgit par la suite dans l'Espagne islamique, car les grands penseurs arabes avaient reçu un enseignement alchimique en Syrie, en Perse et en Arabie. Cette tradition était toujours vivante en Egypte mais les trop nombreuses factions et les troubles que connut Alexandrie sous la domination byzantine ne favorisaient pas l'épanouissement de la philosophie. L'Eglise copte qui n'était pas partie intégrante de la vraie tradition byzantine se voyait de plus en plus repoussée aux frontières. Les arts et les techniques fleurirent en Egypte sous la domination de Byzance, mais elle n'était plus un des hauts lieux de la culture.

L'invasion arabe et les miraculeuses conquêtes de l'Islam achevèrent de précipiter le déclin de la philosophie alchimique. Le Prophète n'était certes pas un homme inculte, pas plus d'ailleurs que ses disciples les plus proches, mais il y avait ce que nous appellerions une trace de puritanisme chez les premiers fondateurs de l'Empire islamique. La connaissance de Dieu telle qu'elle avait été révélée au Prophète par l'entremise du Coran englobait la connaissance de toutes choses. La récitation de la très simple proclamation de foi islamique suffisait à porter l'âme du croyant au Paradis, et à plus forte raison s'il l'adressait à Allah au cours d'une lutte mortelle pour la propagation de la foi. C'est dans cet esprit que fut détruite, puis dispersée à tous les vents, l'immense bibliothèque d'Alexandrie. Il est vrai que nombre de ces guerriers n'étaient que d'humbles nomades obéissant à leurs chefs tribaux et n'avaient d'autre désir que de conquérir puis de mourir ; mais nombreux étaient les Arabes qui croyaient sincèrement que les manuscrits qu'ils brûlèrent et dispersèrent n'étaient que paroles de païens, de peu de poids en regard de la vraie foi. On peut s'expliquer l'attitude de ces armées arabes. Il n'en est pas moins vrai que la destruction puis la dispersion de la bibliothèque d'Alexandrie furent un désastre pour la civilisation tout entière.

La période des guerres saintes qui vit l'Islam s'étendre de la Perse au Maroc marqua la fin d'une ère. Le monde classique se reconstitua non plus comme un tout, mais en une série de petites régions où subsista l'hégémonie culturelle byzantine à la rapide évolution. Cette nouvelle tendance existait déjà dans l'Empire d'Orient avant la conquête islamique. Le monde méditerranéen civilisé eut à affronter, non une véritable barbarie, ou de véritables ténèbres, mais sa division en trois zones d'influence bien distinctes possédant chacune sa propre religion. En effet, l'enseignement religieux était la base même des civilisations islamiques, franques et byzantines. Erudits et lettrés s'assemblaient aux portes de la mosquée ou de l'église. La plus vivante de ces trois régions, l'Occident, était spécialement bouillonnante, en raison même de l'ampleur des désastres qui avaient amené le démantèlement de l'ancien Empire. De nouvelles populations aux idées neuves avaient envahi ce monde civilisé. Par contre, à Byzance, et dans les centres de culture arabe, l'enseignement traditionnel continuait de prévaloir. Il eut d'abondants prolongements qui n'étaient eux-mêmes que des prolongements de la civilisation religieuse traditionnelle. Les doctrines expérimentales provenaient avant tout des pays frontières. La philosophie alchimique reprit à nouveau son essor grâce aux enseignements qu'avaient préservés en Perse, en Syrie et en Irak, les Nestoriens, les Monophysites et les Manichéens.

Aux VIIe et VIIIe siècles, il semblait que les ténèbres eussent tout envahi. L'ancienne culture devait paraître irrémédiablement perdue à la plupart des lettrés et plus rien n'en subsistait que des fragments noircis de manuscrits brûlés tourbillonnant dans le vent au-dessus d'Alexandrie.

CHAPITRE III

Aqua ardens

L'HISTOIRE voulut que ce fût aux philosophes arabes de faire revivre la philosophie alchimique. Opérant un tri dans un fatras millénaire, ils répétèrent de traditionnelles expériences et élaborèrent une nouvelle approche scientifique qui, s'appuyant sur l'ancienne mystique, leur permit de se livrer à une rationnelle expérimentation à des fins matérialistes. Ils arrivèrent ainsi à un système cohérent qui, avec le temps, devait aboutir à la conception moderne de la chimie. Mais les recherches alchimiques qu'effectuaient les Arabes n'en continuaient pas moins d'être imprégnées de mysticisme. En effet, ils poursuivaient un double but, la fabrication de l'or, d'une part, et de l'autre l'illumination de l'âme grâce à une doctrine spiritualiste. C'est sur les confins orientaux de l'Empire byzantin que se développèrent les plus importantes sectes hérétiques dont les adeptes cherchaient fiévreusement à établir un lien entre la Puissance divine et les pouvoirs de l'homme. La Perse, la Syrie et l'Irak ayant été rattachés au Califat, la culture y prit un nouvel essor et les doctrines manichéennes et nestoriennes, englobant l'alchimie, s'y répandirent tout naturellement. C'est ainsi que s'ouvrit la voie menant à la création d'une école de la pensée islamique allant bien au-delà de la foi aveugle de la période de conquête. Cette pensée s'exprima ultérieurement par l'enseignement soufi et la secte des Ismaélites s'y rallia.

Le premier nom important que nous rencontrons dans l'histoire de l'alchimie arabe est celui du prince Khalid, qui de noble naissance était le frère cadet du calife Mua-wiya II. On dit qu'il vécut à Damas de 660 à 704, pendant la période où les armées musulmanes, avant qu'elles ne s'emparent, en Espagne, des royaumes wisigoths, furent contenues dans leur avance, en Afrique du Nord, par les Berbères. On attribue au prince Khalid quelques milliers de vers sur des thèmes alchimiques, mais la plupart sont apocryphes. Il aurait été, dit-on, initié à l'art alchimique par Morienus, un chrétien d'Alexandrie, qui lui-même avait été l'élève de Zosime, le célèbre alchimiste grec. Morienus aurait, avant Khalid, effectué la transmutation en or d'un vil métal, mais il dut partir en exil, le prince accusant les Alexandrins de s'être rendus coupables de supercherie. Cependant par la suite le prince Khalid dut rencontrer à nouveau Morienus et revenir sur ses mauvaises impressions, car il reprit l'étude de l'alchimie. Il est difficile, même à des spécialistes, de discerner jusqu'à quel point on peut ajouter foi, dans cette période troublée de l'histoire, aux dates qui jalonnent l'évolution de l'alchimie islamique. Il est hors de doute que l'on attribua à des auteurs célèbres des œuvres écrites ultérieurement par des adeptes de leurs doctrines philosophiques. Il ne fait également aucun doute que des études plus approfondies mettront au jour de nouveaux textes, mais il faut tenir compte de la veine poétique de la littérature islamique, si frappante dans une œuvre telle que les *Contes des Mille et Une Nuits*, et que l'on retrouve dans des ouvrages traitant de médecine et d'alchimie. Que l'on imagine un traité de physique doublé d'un roman de science-fiction. On ne peut tirer que d'obscures conclusions de ces textes où l'incroyable le dispute au fantastique.

Peu après Khalid apparut le plus érudit de tous les savants arabes, Djabir ibn Hayyan qui vécut, croit-on, de 722 à 815. Son père, Hayyan, était né à Koufa, sur les bords de l'Euphrate, où vivait deux ans plus tôt, dans les marais, une peuplade pour qui le calife Omar avait édifié cette ville. Expert en drogues médicinales, homme politique de renom, il participa au complot visant à renverser les Omeyyades au profit des califes abbassides. Au cours d'un voyage, il s'arrêta dans la ville perse de Tus où naquit Djabir. Il fut par la suite arrêté et assassiné sur l'ordre du dernier des califes omeyyades, et Djabir, enfant, fut confié à des parents, en Arabie, où il étudia les lettres arabes classiques et les mathématiques. Suivant l'exemple de son père, il étudia également la médecine et acquit de vastes connaissances sur les propriétés des corps, car il avait un esprit original et se livrait à de nombreuses expériences. C'est ainsi qu'il s'initia dans des textes anciens aux théories alchimiques. Il retourna à Koufa où il acquit bientôt une véritable célébrité tant comme philosophe que comme alchimiste.

Ce qui était tout à son honneur, Djabir appartenait à la secte des Soufis qui cherchaient à atteindre à la sagesse et à l'union extatique avec l'esprit divin par la méditation et les exercices spirituels. Leur doctrine incitait les Soufis à adopter un mode de vie ascétique pour protester contre le luxe et l'immoralité qui régnaient à la cour des princes. Au cours de leurs études, ils empruntèrent nombre de leurs idées au néo-platonisme grec qui ajouta de nouvelles dimensions à ce mode de pensée rationnelle qui était celui de leurs orthodoxes contemporains.

Le Soufisme conduisit Djabir à prendre connaissance de manuscrits d'origine syrienne renfermant l'essentiel des connaissances alchimiques du monde antique. Ce qui l'incita d'une part à se livrer à l'étude pratique des mystères de la nature, et de l'autre à se plonger dans le monde mystique des nombres symboliques et des lettres chargées de signification, monde d'origine à la fois grecque et égyptienne. Ce furent les Grecs, en effet, qui eurent l'idée d'accorder à chaque chiffre une signification spéciale, indépendamment de celle qu'il avait en tant que nombre. Les Egyptiens y ajoutèrent le concept de la valeur magique du mot écrit, et des lettres, elles-mêmes dotées d'un pouvoir magique, car elles étaient tombées des lèvres de Thot, divinité de la sagesse. Le fait est que Djabir, au cours de sa vie, réunit en un faisceau tous les éléments de l'alchimie d'avant son temps, ce qui lui permit, de par son expérience mystique de Soufi, d'en tirer une doctrine. Rien d'étonnant, donc, que grâce à lui l'alchimie ait acquis une forme nouvelle qui, bien que s'appuyant sur des principes anciens, allait plus loin, et dans la doctrine, et dans l'expérimentation.

Vers la fin de sa vie, Djabir fut considéré, en Europe occidentale, comme un des Pères de l'Alchimie et y fut connu sous le nom de Geber l'Arabe. Par la suite, hélas ! ce nom fut employé en dérision du langage mystique, incompréhensible pour l'homme du commun, et « gibberish » signifia dès lors « charabia ». Mais de son vivant Djabir dut entretenir certains rapports avec l'Europe occidentale, probablement par l'entremise de ses ouvrages, car il était l'alchimiste attitré du grand Haroun al-Rachid qui échangeait des présents de grande valeur avec son contemporain Charlemagne, empereur des Francs.

Djabir dut sa brillante carrière à l'étroite amitié qui le liait à la famille des Barmécides qui furent pendant longtemps conseillers du calife. C'est de Djafar al-Sadik qu'il reçut le plus clair de son enseignement et c'est un autre Djafar, le Barmécide, qui l'introduisit auprès d'Haroun al-Rachid. C'est pour ce calife qu'il écrivit le *Livre de Vénus* où il décrit sous une forme poétique ses expériences alchimiques.

La tradition veut que Djabir ait usé de son influence pour que soit augmentée la somme consacrée à l'acquisition et à la traduction d'ouvrages grecs affluant de l'empire d'Orient à Byzance. Il y puisa une véritable somme de connaissances sur les sciences qui le passionnaient et firent de lui un des hommes les plus érudits de son temps. Il se retira finalement à Koufa pour y continuer, retiré du monde, ses recherches et ses travaux. Cela se passa en l'an 803, lorsque le calife, excédé par l'arrogance sans cesse grandissante de ses conseillers barmécides, décida de les chasser de la cour, son alchimiste y compris. Tout laisse à penser que Djabir ne souffrit nullement de cette retraite forcée. Il approchait de ses quatre-vingts ans et était, en ses qualités de philosophe et de savant, hautement respecté.

L'histoire veut que, deux siècles après sa mort, des ouvriers construisant une maison à Koufa aient mis au jour les ruines de son laboratoire, et si l'on n'y trouva ni creusets ni poudres d'aucune sorte, ces ouvriers n'en découvrirent pas moins, dans un coin de la pièce, un mortier servant à pulvériser très finement du minerai, et qui était d'or pur. C'est là sans doute une légende apocryphe, bien dans la ligne de la doctrine alchimique... le cuivre transformé en or, c'est-à-dire le trésor enseveli sous la poussière et foulé aux pieds.

Des œuvres réputées de Djabir, bien trop sont parvenues jusqu'à nous. Son nom était à ce point révéré que nombre de traités de médecine et d'alchimie lui ont été attribués par des lettrés qui voyaient une unité d'intention dans tous les ouvrages philosophiques d'inspiration soufi traitant de l'alchimie. Des œuvres ultérieures de membres de la secte des Ismaélites (secte fondée une génération après la mort de Djabir) furent à ce point assimilées à ses écrits qu'on les lui attribua également. On tenait en si haute estime l'œuvre de Djabir qu'elle servit de base à presque toutes les doctrines alchimiques qui foisonnèrent dans le monde islamique. Quant aux alchimistes occidentaux, ils tinrent eux aussi Geber pour le grand rénovateur de cet art millénaire qui avait subi une éclipse après la chute de l'Empire romain.

L'œuvre de Djabir permit d'accomplir de réels progrès scientifiques. On lui attribue la découverte de l'acide azotique, de divers sels rares, et des expériences sur la distillation de nombre de substances naturelles. Ces recherches s'inscrivaient dans son œuvre de classification des différents corps simples du monde physique. Il fit appel à ses connaissances médicales pour préparer des élixirs que l'on dit avoir eu des propriétés quasi miraculeuses. Les successives modifications qu'il fit subir à ses appareils aboutirent à l'alambic tel que nous le voyons encore aujourd'hui. C'était là un grand progrès sur le *kerotakis,* plus primitif, car il comprenait l'emploi de l'alambic proprement dit et la répartition du produit de la distillation dans les différentes cornues qui y étaient attachées.

La plupart des expériences pratiques reposaient sur des bases théoriques qui, pour nous, sont irrationnelles, et que nous avons grand-peine à concevoir pour la simple raison qu'elles s'appuient sur des considérations qui sont de pures vues de l'esprit. On dessine un « carré magique » portant en son centre un 5 ; on y ajoute des chiffres placés de telle sorte que chaque ligne additionnée forme 5×3 c'est-à-dire 15.

On sépare alors ces chiffres en traçant un second carré, comme il est indiqué ci-dessous.

```
    4     9     2

    ┌───────────┐
    │  3     5  │   7
    │           │
    │  8     1  │   6
    └───────────┘
```

En additionnant les chiffres placés à l'intérieur puis à l'extérieur de ce carré nous obtenons successivement 17 et 28. Djabir, suivant en cela la philosophie soufi, voit en eux les nombres naturels correspondant aux mouvements et aux combinaisons des éléments naturels. On prend ensuite les 28 lettres de l'alphabet arabe. Ces lettres sont dotées d'un pouvoir spécial et pour Djabir elles ne pouvaient être qu'arabes, le *Coran* ayant été écrit en lettres arabes. Toute matière doit donc être classée en concordance avec ces lettres qui se voient attribuer une valeur numérique selon leur appartenance aux qualités naturelles, le chaud, le froid, le sec et l'humide (le Feu, l'Air, la Terre et l'Eau). En divisant le nom arabe d'une substance et en attribuant à chaque lettre une valeur numérique, nous arrivons à une valeur numérale exprimant la composition de cette substance par rapport aux quatre éléments aristotéliens. Et nous tombons là, en effet, dans du pur « gibberish ». Cependant lorsque nous considérons les éléments complexes, nous nous rendons compte qu'ils ont en effet une base philosophique. Qu'ils expriment une conception du monde physique qui n'a rien à voir avec des données aussi précises que poids atomiques et valences. Regardons à nouveau le « carré magique » représenté plus haut, et réfléchissons à la signification des nombres qu'il comporte. Nous commençons alors à saisir la pensée de Djabir comme une sorte de philosophie sans commune mesure avec la science telle que nous la concevons aujourd'hui. Nous en revenons donc à la pensée fondamentalement psychologique dont la signification s'énonce par des nombres. Dans le cas de Djabir la chose se complique en raison du système de poids et mesures arabes, aussi irrationnel que le système anglais.

Djabir, se faisant l'avocat de son système, encouragea ses disciples à étudier les rapports numériques de différentes substances afin d'établir ce qui les différenciait de l'or. Venait ensuite la préparation d'un élixir ayant la propriété de rétablir l'équilibre. Puis par de justes combinaisons s'effectuait une transformation. Grâce à cette méthode, toute substance pouvait être transmutée en une autre. C'était là un raisonnement totalement irrationnel, mais qui, sous une autre forme, et à la lumière de nos connaissances actuelles sur la structure interne de l'atome, relève de la science pure. Djabir œuvrait sur des bases mathématiques irrationnelles, alors que le chercheur d'aujourd'hui, grâce aux moyens de contrôle, d'une parfaite exactitude, dont il dispose, est en mesure d'étudier les caractères des « particules » qui constituent le monde physique. Bien entendu la composition alchimique d'un métal ne se traduisait pas toujours par un nombre utilisable, d'où la théorie que s'il fallait donner un nom à la forme extérieure d'un métal, son essence même en réclamait un autre ; cette méthode conduisait à l'exacte formule mathématique de la transmutation. C'est ainsi que prit naissance cette théorie des alchimistes qu'ils ne voyaient pas du même œil que les gens du commun les substances les plus importantes qu'ils traitaient dans leur art. La différenciation établie entre l'or philosophique et l'or vulgaire correspond exactement à la théorie de Djabir sur la nature extérieure et intérieure des métaux.

Illustration du Turba philosophorum. *XVIe siècle*

Quoi qu'il en soit, les Arabes du temps du Califat croyaient fermement à l'alchimie, et pour eux Djabir, tout comme bien d'autres sages et vénérables philosophes, avait découvert ces poudres miraculeuses, la rouge et la blanche, dotée du pouvoir de transmuter des métaux en un or d'une plus ou moins grande richesse.

Ce fut probablement peu après la mort de Djabir que les manuscrits grecs auxquels il avait pris tant d'intérêt furent réunis et réédités sous forme de dialogues, s'adaptant parfaitement à la doctrine soufi, entre les alchimistes grecs et leurs précurseurs, les philosophes platoniciens. Ces dialogues furent ultérieurement retraduits en Europe et connurent une véritable célébrité sous le titre de *Turba Philosophorum*. Ainsi, une fois de plus, les Arabes, en sauvant ces manuscrits, préservèrent pour l'avenir les idées ies plus importantes de l'alchimie archaïque que recueillerait l'Occident lorsqu'il serait à nouveau le centre de la civilisation.

L'Europe occidentale connut de grands désordres pendant toute la période des découvertes alchimiques des Arabes. Les brillants espoirs qu'avait fait naître l'Empire de Charlemagne furent anéantis par ses successeurs incapables. Cependant l'impulsion qu'il avait donnée à un plus large enseignement du clergé porta ses fruits. La culture retrouva son importance. Les lettrés qui insufflaient une vie nouvelle à l'Occident se plongèrent dans l'étude de la littérature latine profane et allaient de temps à autre parfaire leurs études dans cette Espagne qui, sous la domination arabe, était devenue le centre de la culture et des sciences du monde occidental tout entier. Les guerres et les luttes qui opposaient les dynasties issues d'Odin, dynasties converties au christianisme, retardèrent en Europe les progrès de la culture, mais non l'apparition de génies isolés.

Un des plus brillants de ces Européens qui surgirent vers la fin de l'Age des Ténèbres fut l'évêque Gerbert d'Aurillac qui inventa la première horloge mécanique afin de permettre à ses moines, éveillés par une cloche à l'heure voulue, d'assister aux offices de nuit. Il se livra à l'étude des sciences naturelles et, bien que devenu pape sous le nom de Sylvestre II, acquit une réputation de magicien. Il s'était rendu à Cordoue pour y étudier les mathématiques et pour y acquérir des ouvrages traitant de sujets variés, comprenant peut-être, mais la chose n'est pas certaine, des livres arabes sur le monde physique et l'alchimie. Peu à peu il se produisit une certaine confusion entre Geber l'Arabe et Gerbert le philosophe, mais les alchimistes qui lui succédèrent considérèrent Gerbert comme l'un d'entre eux. Nous pouvons en déduire qu'il avait entendu parler de l'autre Geber, Djabir ibn Hayyan, et peut-être connaissait-il même ses œuvres. Il se trouvait à Cordoue au temps où Maslama ibn Ahmad enseignait à Madrid la doctrine alchimique et les mathématiques, et où Mohammed ibn Oumaïl travaillait à ses poèmes alchimiques qui, traduits, ne devaient parvenir dans les milieux alchimiques européens que deux siècles plus tard. C'est ainsi que peu à peu, grâce à des contacts entre érudits, se nouait un lien entre les alchimistes islamiques et chrétiens, unissant ainsi l'avenir au passé préislamique de l'art alchimique.

Un autre contemporain du pape Sylvestre II fut Abou Ali ibn Aina (Avicenne), grand physicien et savant, né près de Boukhara en 980 et mort vers 1037. A la fois précoce et brillant, avide de connaissances de toutes sortes, il continua de se livrer seul, lorsqu'il n'eut plus rien à apprendre de ses maîtres, à l'étude et à des expériences. A l'âge de seize ans déjà, il faisait autorité en médecine. Il semble avoir eu connaissance de toutes les œuvres traitant de l'alchimie et procéda à de nombreuses expériences pour découvrir de nouveaux composés et distiller des substances médicinales. Il n'en arriva pas moins à la conclusion que l'alchimie n'était pas une science et que l'on ne pouvait prendre pour assurée la transmutation des métaux vils en or. Avicenne, tout comme Djabir, estimait que tous les

Avicenne.

métaux étaient constitués, dans des proportions variables, de mercure et de soufre. En cela il partageait les vues des métallurgistes alexandrins, étant donné qu'il voyait dans l'alchimie un moyen d'altérer l'aspect externe des métaux en portant au rouge les métaux blancs, ce qui leur donnait la couleur de l'or, et en portant au blanc les métaux rouges qui revêtaient alors l'apparence de l'argent. Cette attaque contre l'alchimie fut relevée par d'autres autorités en la matière qui firent remarquer qu'Avicenne, s'il citait des œuvres de Djabir et de son successeur Al Razi, n'arrivait pas aux mêmes conclusions qu'eux. Tout cela donna lieu à de nombreuses controverses, mais ni les adversaires ni les défenseurs de l'alchimie ne furent le moins du monde ébranlés dans leurs convictions par l'opinion de ce grand savant.

Au cours des trois siècles qui suivirent, il y eut peu de véritablement grands alchimistes dans le monde islamique. Leurs œuvres, loin d'être originales, empruntaient principalement leurs idées aux grands maîtres du passé. La brillante époque de l'alchimie arabe tirait à sa fin, et tout comme en Chine, les théories originales de l'alchimie « chimique » allaient être englouties par d'obscures méditations religieuses au lieu de trouver leur application dans la chimie métallurgique. La voie était tracée pour les chercheurs européens qui, assimilant les connaissances des Arabes, s'efforcèrent d'appliquer à l'alchimie une méthode pragmatique peu différente au début, du point de vue philosophique, des idées des Arabes.

Nous reviendrons ici en arrière et citerons les conseils que Morienus, un Alexandrin, aurait donnés au prince Khalid :

« Dieu recommande à ses serviteurs soigneusement choisis d'étudier cette divine et sainte science et de ne la point divulguer aux hommes du commun. Cette science épargne

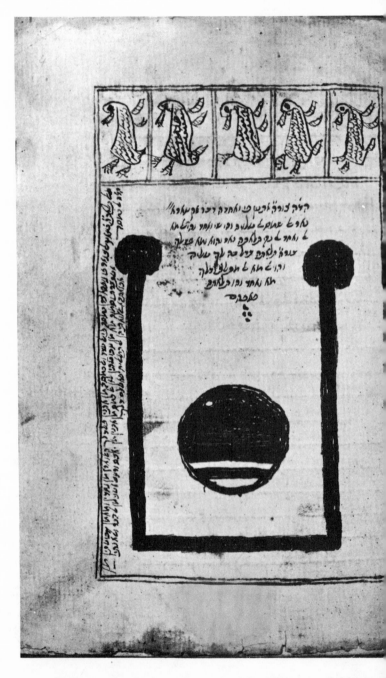

Manuscrit d'un ouvrage arabe sur la philosophie juive et l'alchimie m

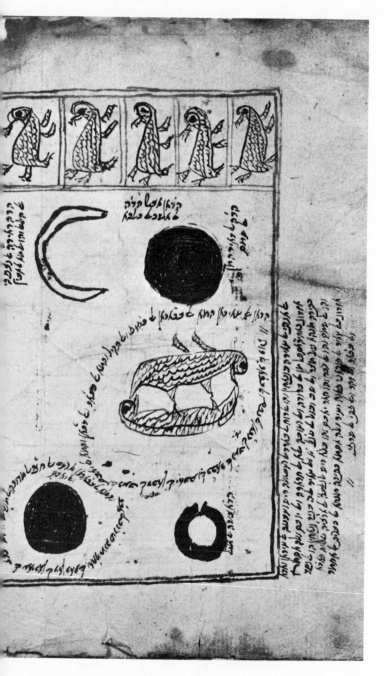

ins symboliques qui auraient été relevés dans un temple égyptien en ruine.

à celui qui la possède les souffrances de ce monde et l'amène à la connaissance des béatitudes futures... Excessivement étroite est la porte qui mène à la sérénité, et nul ne la peut franchir sans avoir en son âme souffert mille morts. »

Cependant, dans le monde islamique tout entier, se poursuivaient les études alchimiques, et des laboratoires furent créés pour y effectuer d'étranges rites visant autant à la purification de l'âme qu'à la transmutation de métaux vils en or. Nombre de connaissances antiques se perpétuèrent au Maroc jusqu'aux temps modernes, et il est fort possible que ces connaissances aient exercé une influence sur les expériences récentes accomplies en France.

Grande fut la contribution qu'apportèrent les Arabes à l'alchimie. Non seulement ils nous transmirent les théories de l'Antiquité, mais ils leur donnèrent un nouvel essor en créant de nouveaux appareils et de nouvelles lignes de pensées philosophiques. L'invention de l'acide azotique suffirait à elle seule à justifier le titre de ce chapitre, mais le courant de la pensée islamique s'enrichit des connaissances que renfermaient les précieux et anciens manuscrits, et en tira le suc. Les Arabes parvinrent ainsi à une nouvelle unité accessible à tous les lettrés de formation philosophique, et cela des confins de l'Inde à l'Espagne, alors que les Européens entamaient leur lente remontée vers le monde de la connaissance et des controverses scientifiques.

CHAPITRE IV

Sublimation

Au cours des xe et xie siècles, il y eut de façon constante, mais restreinte, des échanges d'idées entre l'Europe occidentale et les nations islamiques. Les dissensions politiques internes jouaient un rôle aussi important que les heurts entre l'Eglise et l'Islam. Les Arabes se souvenant vaguement que Charles Martel et Charlemagne étaient des Francs, appelaient tous les Occidentaux des Francs et ne les en admiraient pas plus pour autant. Ils les considéraient probablement comme une race de barbares ignares et féroces où un petit nombre se distinguaient par leur puissance et leur importance, et où un nombre plus restreint encore étaient assez cultivés pour aller étudier dans les écoles arabes d'Espagne et de Sicile. D'ailleurs la désunion régnait dans l'Europe elle-même. En des luttes incessantes, les anciens royaumes disputaient le pouvoir aux nouvelles nations nordiques, faisant régner le désordre dans leurs pays. Ces constants affrontements amenèrent un renouveau des mythes anciens de la païenne Scandinavie. L'influence s'en fit sentir sur les arts qui échappèrent ainsi au carcan de traditions et d'interdits d'une rigueur quasi byzantine. Graveurs, orfèvres et enlumineurs découvrirent un monde pictural d'une richesse exaltante, et ils y puisèrent pour illustrer l'enseignement de leur Eglise.

C'est ainsi qu'en Europe occidentale, l'artisanat, libéré, disposa d'instruments dont les Arabes ne pouvaient se servir que de façon limitée. Si, par périodes, l'interdiction de représenter la nature sous toutes ses formes était sévèrement renforcée, en tout temps cet interdit dictait aux Arabes ce qui en art était admis ou non. C'est pourquoi l'alchimiste islamique en était réduit, pour exprimer ses idées, à un monde de mots et de symboles. Par contre, une voie s'ouvrait devant les Européens, leur offrant un nouveau mode d'expression. Au début, ces possibilités d'expression picturale étouffèrent peut-être le besoin qu'éprouvaient les lettrés d'un système de philosophie pragmatique, sorte de libération sur le plan spirituel, mais à mesure que les Occidentaux acquéraient une culture plus approfondie, ils découvrirent que l'étude de l'alchimie, transmise à eux par les Arabes, pouvait être singulièrement élargie par leurs traditions picturales. C'est ainsi que purent s'exprimer plus librement les visions que faisait naître, chez ses adeptes, la discipline alchimique. Et c'est cela, bien plus que les phrases soigneusement équilibrées et les mots volontairement obscurs, qui font pour nous, de l'alchimie, un art vivant.

Un trait intéressant des différentes cultures occidentales de ce temps est la persistance d'un très ancien folklore qui puisait ses racines dans le monde païen, aussi bien celtique que scandinave. Charlemagne avait réuni une importance collection d'anciens poèmes et chants saxons et francs que son imbécile de fils détruisit après sa mort. Mais de nombreux fragments de vieilles mythologies survécurent, et en particulier le recueil de légendes scandinaves que rassembla en Islande Snorre Sturlasson, le folklore celtique qui parvint jusqu'à nous grâce à ce recueil de légendes que sont les Mabinogion. Nous trouvons dans cette littérature d'obscures allusions au mythe du héros souffrant mille morts, et transmué par la douleur. Odin, pendu aux branches du frêne sacré Ygdrasil, évoque le métal posé sur le plateau d'un primitif *kerotakis*. A ses pieds s'ouvre le puits de la sagesse et s'élèvent les fumées du Nifelheim ; au-dessus de sa tête scintille la rosée et s'ébattent les oiseaux. La secrète connaissance acquise par le dieu lui vient d'un univers représenté comme un puissant faisceau de forces rappelant étrangement l'expérience alchimique de la distillation et du dépôt des métaux. Les symboles du dragon gardant le trésor et du serpent-univers préfigurent les principes qui, par la suite, connurent une riche floraison picturale dans les ouvrages d'alchimie.

Dans le domaine celtique nous trouvons de nombreuses analogies avec les divinités associées à la lune et les divers aspects du soleil. Cependant, la grande merveille des druides celtiques, ce fut l'Œuf irisé du Serpent, sorte de globe aux couleurs de l'arc-en-ciel, et qui renfermait toute sagesse. C'est d'eux aussi que nous tenons le Chaudron de Keridwen qui contenait l'elixir de vie et le breuvage de l'illumination pour ceux qui osaient s'en approcher... car ce chaudron préfigure le mythe du Graal, visible seulement pour ceux qui ont le cœur pur.

Les alchimistes, en incluant dans leurs œuvres de telles traditions et représentations picturales, ne faisaient pas que copier les Anciens. Ils découvraient en eux-mêmes des mythes, véritables archétypes cristallisés par la tradition populaire du temps, qu'on leur avait peut-être contés dans leur enfance. La Germanie eut également ses mythes, et en particulier celui de Baldur, illustré par l'opposition des ténèbres et de la lumière, le bûcher funéraire et l'empyrée auquel accède le héros.

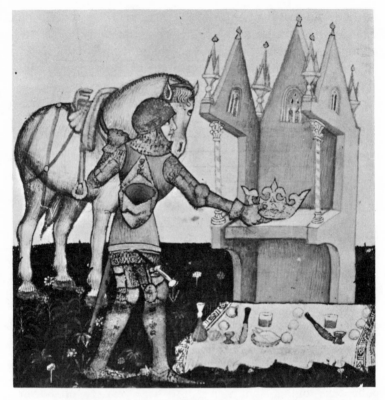

La quête du Graal. Manuscrit français du XIVᵉ siècle.

Nous ne pouvions nous attendre à ce que leur connaissance de la vie humaine autorisât les alchimistes à être
de simples rapporteurs scientifiques de faits. La tradition
avait toujours visé à montrer la voie menant à la perfection,
et le monde tout de tradition qui les entourait leur four-
nissait un *mythos* tout prêt qu'il revenait ensuite à leur
esprit de développer.

Le jour où la représentation picturale fit son entrée

dans le domaine de l'alchimie, elle lui ajouta une nouvelle dimension qui fit presque d'elle une religion. En fait, elle ne faisait que revenir à ses origines et pour cela il lui fallait se dépouiller de l'enveloppe d'une connaissance strictement chimique pour devenir avant tout une philosophie. Cependant cette connaissance chimique qui se transmettait de l'un à l'autre devait, en fin de compte, aboutir à une autre alchimie... celle des structures infra-atomiques.

Cependant, aux Xe et XIe siècles, le monde des livres et de l'enseignement était restreint, et il régnait dans les esprits une grande tension. L'an mille approchait et l'on s'attendait à un véritable bouleversement. Les dangers que présentait la vie quotidienne, tant dans les monastères que dans les villes, étaient grands en périodes troublées. Nombre de gens avaient des visions ou rêvaient de miracles. Et c'est parce qu'il existait une tradition artistique, un réveil des mythologies, des archétypes, conçus, puis exprimés par des artistes et des mages, que nous attribuons à l'alchimie nombre de concepts qui ont en réalité peu de rapport avec cet art essentiellement hermétique.

En dépit d'une tension religieuse toujours grandissante entre les communautés islamiques et chrétiennes, il n'en existait pas moins un flot continu de doctes pèlerins qui, des grands centres de culture religieuse de la chrétienté, s'en allaient, parce qu'ils en ressentaient le besoin, étudier dans les universités islamiques. Ils n'aspiraient pas seulement à étudier les sciences naturelles, ils découvrirent peu à peu que l'on y trouvait, en version arabe, des œuvres des Anciens, Grecs et Romains. Il leur tombait même parfois entre les mains de précieux manuscrits des IVe et Ve siècles.

En effet, au cours de ces siècles, des hommes dont le nom n'est même pas parvenu jusqu'à nous jetèrent certaines des bases de ce qui devait devenir la civilisation européenne.

Ils ne pouvaient pas prévoir que leur apport, si limité fût-il, aboutirait à une tolérance et à une compréhension aussi bien internationales qu'interconfessionnelles. S'ils désiraient acquérir du savoir, c'était pour étudier leur propre religion et lui assurer dans l'avenir la suprématie. Les Croisades prenaient une ampleur toujours plus grande, et cependant les moines lettrés, les seuls savants du temps, ne s'en rencontraient pas moins dans les villes arabes pour discuter entre eux en toute sérénité.

Dans son ouvrage, *Psychologie et Alchimie,* Jung cite un texte tiré du *Liber Platonis quartorum,* vol. V du *Theatrum chemicum* dont l'origine remonte au Xe siècle :

« Dans le Livre des Dialogues, le Philosophe déclare : « J'ai fait le tour des trois cercles célestes, c'est-à-dire le cercle céleste des natures composées, le cercle céleste des natures différenciées, et le cercle céleste de l'âme. Mais lorsque j'ai voulu faire le tour du cercle céleste de l'intelligence, l'âme m'a dit : « Cette voie n'est pas faite pour toi », puis la nature m'a attiré et j'ai été attiré. » Le philosophe n'est pas parvenu à cette conclusion dans le dessein de donner un nom à cette science, mais parce qu'il tenait à s'assurer que ses paroles ne manqueraient pas de révéler le pouvoir qui libère la créature. Son propos visait à nous faire reconnaître comment, dans cette science, le processus du Bas est commandé par celui du Haut. »

Non seulement ce texte se prête à d'infinies discussions, mais il fait ressortir que pour l'alchimiste, et cela même au XVIIe siècle, le mystère était partie intégrante de la conformité qui existe entre le microcosme et le macrocosme... Le processus matériel du Bas reflétant celui du Haut. Néanmoins, au plus haut niveau des trois cercles célestes, comparable aux processus alchimiques, les natures composées passant, au moyen de l'affinement, à la nature différenciée, processus observé par l'âme (c'est-à-dire la personnalité intérieure, ou subconscient), l'observateur se voit recommander de ne pas obéir à l'intelligence. Cela implique qu'un contenu émotionnel, une attraction mutuelle entre le philosophe et la nature sont l'essence même du processus. Nous retrouvons ici la tradition des alchimistes archaïques qui considéraient le processus comme un rite, et assimilaient les transformations chimiques à celles qui se produisaient dans l'âme de l'initié. Quoi qu'il en soit, l'importance qu'attachait l'alchimiste à l'observation de la nature dut présenter, aux environs de l'an mille, un vif attrait pour le lettré européen, les merveilles de la nature dévoilant les mystères de l'univers. Il semblait tout naturel que celui qui avait assisté à cette sublime démonstration de l'unité de la nature, où métaux et corps chimiques étaient mis en parallèle avec les lointaines planètes et étoiles, en fût anobli. Mais il n'appartenait pas à chacun de profiter de cette expérience. Il fallait l'âme purifiée et l'esprit éclairé du philosophe pour percer le mystère alchimique.

Nous comprenons maintenant quelle personnalité devait posséder l'alchimiste. Il lui fallait se vouer à la recherche de la compréhension totale, en se pénétrant du fait qu'à chaque palier de la nature existe une réponse symbolique aux ultimes problèmes de l'existence. La recherche des secrets de la matière, de sa purification et de sa transmutation en or, devait être accompagnée de la recherche du secret des planètes et des étoiles, ainsi que d'une descente en soi-même. Il en résulterait la compréhension de la nature de Dieu et de Sa Création. Si un tel mode de pensée était aisé pour un lettré soufi, bien peu d'érudits occidentaux pouvaient, vers l'an mille, parvenir à ce stade. De grandes âmes se livraient à la méditation et découvraient, grâce à leur foi, la voie menant au ciel ; les esprits éclairés discutaient théologie et lois ; mais rares étaient ceux qui saisissaient l'importance qu'il y avait à étudier le monde matériel où ils puiseraient une plus large connaissance de l'univers que celle qui leur était révélée par les Ecritures. En fait, qu'ils fussent soufis ou chrétiens on devait flairer chez eux une certaine hérésie.

Au cours des x⁰ et xii⁰ siècles on assista, en Europe, à un extraordinaire réveil. Les impétueux Normands, tout récemment entrés dans le monde de la chrétienté, faisaient preuve de remarquables capacités aussi bien à s'instruire qu'à gouverner. Les prodigieux succès qu'ils remportèrent en Italie du Sud en conquérant d'abord l'Apulie, puis la Sicile, les mirent en contact avec un nouveau mode de vie. Ils découvrirent une douceur de vivre dont ne rêvaient même pas leurs aïeux, d'éblouissantes œuvres d'art, et comprirent également que leurs nouveaux sujets possédaient une riche et ancienne culture qui leur permettrait d'accéder à un niveau supérieur de civilisation. Parmi ces sujets se comptaient de nombreux Mahométans, sages docteurs ou philosophes. Ils aceptèrent volontiers la domination des Normands, se convertirent presque tous au christianisme, mais ils apportèrent beaucoup, du point de vue philosophique, aux hommes d'Eglise que la noblesse normande comblait de ses libéralités. La Sicile, échappant au joug des Tunisiens, rentra une fois de plus dans l'orbite européenne ; de nouveaux courants de pensée s'y répandirent, ainsi que certaines connaissances alchimiques.

De son côté, l'Islam ne formait plus un tout. L'Egypte s'était détachée du Califat en raison du soutien qu'apportaient ses dirigeants à la secte shiite d'Islam ; ceux du Maghreb étaient pour la plupart indépendants, tandis qu'en Espagne, la tension régnait entre factions arabes et berbères qui se disputaient le pouvoir en des luttes parfois sanglantes. Cependant les grands centres de la culture espagnole, et tout spécialement Cordoue, restaient les gardiens, en Occident, des grands courants de la philosophie islamique. Et

Bataille durant la première croisade. Manuscrit français de 1337.

c'est en raison des divisions qui opposaient les Etats arabes que la prise de la Sicile par les Normands, et de la Corse par les Italiens, ne troublèrent que peu les rapports pleins de tolérance qu'entretenaient en Occident les lettrés des deux religions.

En Orient, de nouveaux orages se préparaient. Byzance était menacée ; les dernières provinces syriennes de l'Empire lui avaient été arrachées, et celles d'Asie Mineure subissaient l'assaut des Turcs seldjoukides. Ceux-ci affaiblirent le Califat en s'emparant de la majeure partie de la Perse, puis de l'Iraq et de la Syrie. Finalement le Califat tomba sous la domination turque. Cependant, il devenait urgent d'arrêter, en Asie Mineure, l'avance des Turcs et l'empereur de Byzance implora l'aide de la chrétienté. Ce fut là l'origine de la première et détestable Croisade, qui tourna au détriment de l'Empereur, au sac de Byzance, mais assura, pour un certain temps tout au moins, à l'Empire byzantin une bande côtière en Asie Mineure. Les Croisés, descendant vers le sud, combattirent pour leur propre compte les forces arabes déjà affaiblies et créèrent le Royaume normand de Jérusalem.

Au milieu de cette incroyable tourmente, les alchimistes byzantins nouèrent d'importants contacts. Le Royaume de Jérusalem entretint en effet des rapports remarquablement pacifiques avec de fameux philosophes qu'inquiétait l'avance des Turcs. Les hérétiques manichéens s'en revinrent aux confins de l'Empire byzantin ; leurs doctrines se répandirent à nouveau, et plus largement qu'auparavant, et l'Occident eut accès aux précieux manuscrits conservés dans les bibliothèques byzantines. Une fois de plus, un immense renversement s'opéra dans le monde, et les structures politiques et sociales de l'Europe en furent transformées. Pendant les périodes d'accalmie, l'enseignement se répandait à nouveau amenant en Occident un renouveau de la culture. L'alchimie, qui y figurait, se trouva brusquement moins dépendante de Cordoue, les Francs créant leurs propres centres culturels.

En Apulie, les Normands s'instruisaient dans les écoles de médecine de Sicile. Les Eglises de France et d'Angleterre envoyaient des moines en Espagne pour y apprendre l'arabe et y traduire en latin des œuvres philosophiques. A Byzance, on se livrait à nouveau à l'étude de très anciens textes philosophiques, accessibles au petit nombre de barbares occidentaux soucieux d'acquérir une culture classique. Certains d'entre eux se mirent même à l'étude du grec afin d'apporter de nouvelles connaissances à leur enseignement du latin.

Le premier fruit de la latinisation de l'alchimie fut *The Book of the Composition of Alchemy,* achevé le 11 février 1144 par Robert de Chester. Cet ouvrage vit le jour à une époque de renaissance de la vie intellectuelle

Abélard prêchant au Paraclet.

en Europe occidentale. Ce fut l'ère des Sages, et Robert de Chester fut l'un d'eux. Abbé de Pampelune, en Espagne chrétienne, il écrivit des ouvrages d'algèbre, d'astronomie et de mathématiques. Pour lui l'œuvre alchimique découlait des sciences naturelles. Sa conception intellectuelle fut probablement influencée par les idées d'Abélard qui mourut en 1142. Abélard, un individualiste, préconisait l'usage de

73

la raison comme un moyen d'accroître la foi. Saint Bernard combattit ce concept, puis le condamna, mais le fait qu'à son lit de mort Abélard rentra dans le sein de l'Eglise permit à ses idées de se répandre. Robert de Chester contribua certainement au développement des sciences naturelles en faisant connaître aux lettrés européens les textes arabes s'y rapportant ; mais ce faisant il provoqua, en alchimie, un contre-courant qui devait prendre un cours scientifique et aboutir d'une part à la chimie et de l'autre à une forme de transcendantalisme.

Ces deux conceptions étaient également valables, mais ne purent, pendant des siècles, s'intégrer l'une à l'autre. L'alchimie était condamnée dès le début de son introduction en Europe occidentale ; mais au cours de siècles de vaines expériences et de déceptions, que de brillantes personnalités hantèrent les officines alchimiques ! A cette époque, les grands enseignants étaient des hommes d'Eglise d'une vaste culture qui divergeaient quant aux principes fondamentaux de l'alchimie en tant que science. Pouvait-on ou non produire de l'or par des moyens alchimiques ? Albert le Grand, suivant en cela les traces du grand savant arabe Avicenne, admettait que par un processus alchimique on pût teinter ou plaquer un métal. Saint Thomas d'Aquin, plus proche par ses conceptions des savants d'aujourd'hui, estimait qu'avec des connaissances suffisantes l'on pouvait affiner et transformer la structure même de la matière... et ce bien que rien ne lui eût permis de pressentir ce qui devait devenir un jour la physique nucléaire.

Nous pouvons tenir pour acquis que ces hommes de premier plan, qui avaient accès à toutes les connaissances scientifiques de leur époque, ne voyaient en l'alchimie qu'une simple branche des sciences naturelles. Et tous estimaient qu'elle en était encore au stade expérimental. Déjà en possession d'un nombre considérable de textes traduits de l'arabe, ils les considéraient sous un angle strictement orthodoxe et n'avaient été nullement influencés par les doctrines philosophiques qu'ils contenaient, comme quoi le rôle de l'alchimie, image de la structure de l'univers, consistait à unir l'homme à la Création tout entière. Il convient de ne pas oublier que ces hommes enseignaient dans des milieux religieux et sociaux d'un extrême autoritarisme. Ils accomplirent leurs travaux en ces temps qui virent l'atroce croisade contre les Albigeois ; et c'est pourquoi ils s'abstinrent systématiquement d'énoncer des théories non conformes à l'orthodoxie. A l'origine, la spéculation alchimique offrait de nombreuses similitudes avec les idées de diverses communautés dont les doctrines rejoignaient celle des Albigeois. Rien d'impossible à ce que cette croisade ait été en réalité l'expression invertie et refoulée d'un érotisme se manifestant avec violence contre des individus moins refoulés, et les passions déchaînées qui donnèrent lieu à des atrocités d'une telle ampleur devaient teinter de fanatisme l'orthodoxie du temps. C'est pourquoi furent étouffées, pour ne resurgir que plus tard, les idées jumelées de la rose mystique et du principe mâle-femelle telles qu'elles sont exposées dans une œuvre alchimique ultérieure, la *Soror mystica*.

Par la suite, en Europe, des alchimistes attribuèrent de nombreux ouvrages apocryphes à des noms prestigieux tels que ceux d'Albert le Grand et de Thomas d'Aquin. Cela prouve tout simplement que ces philosophes étaient à ce point révérés qu'on usait de leur nom comme d'un talisman pour donner plus de poids à certains ouvrages. Le fait est qu'en Europe les premiers savants ne furent pas des alchimistes, et qu'ils se contentèrent de s'intéresser à cette discipline parmi beaucoup d'autres.

Il est fort douteux que les Templiers aient pris une part active à l'œuvre alchimique, mais il est certain qu'ils avaient adopté nombre de doctrines philosophiques de savants arabes. Néanmoins, ils jugèrent plus prudent de dissimuler leurs pensées hétérodoxes derrière les murailles de leurs forteresses. Même lorque leur ordre fut dissous sous la pression exercée par le roi de France Philippe le Bel, on ne découvrit aucune preuve qu'ils aient pratiqué l'alchimie. Cependant on devine dans leurs croyances un courant sous-jacent de la doctrine soufi. C'est ainsi qu'il y eut en Europe, lors de la dissolution de leur ordre, nombre d'hommes occupant un rang social élevé, et intellectuellement prêts à aborder les études alchimiques. Les premiers qu'il nous faut mentionner sont Roger Bacon et Arnaud de Villeneuve. Tous deux accomplirent leurs travaux les plus importants une génération après le massacre des Albigeois. Tous deux étaient des hommes d'Eglise d'une parfaite orthodoxie, et cependant tous deux firent preuve d'une telle indépendance d'esprit que leurs œuvres les firent entrer en conflit avec les autorités ecclésiastiques qui les jetèrent plus d'une fois en prison.

La vie de Roger Bacon (1214-1292) a suscité bien des légendes. Il étudia la philosophie à l'université de Paris, devint dans cette ville moine franciscain en 1247, puis alla se fixer à Oxford où il poursuivit ses études, puis enseigna. Il s'intéressait tout spécialement aux mathématiques et à l'astronomie, et la fascination qu'exerçait sur lui la chimie du temps, où tous les métaux étaient encore considérés comme des composés de mercure et de soufre, l'amena à se livrer à de soigneuses recherches expérimentales. Guidé par son raisonnement, il divisa l'alchimie en deux parties distinctes dont l'une était purement expérimentale. Il s'était donné pour objectif de parvenir, en approfondissant ses connaissances, à la préparation de médecines et d'élixirs, et à la purification des métaux jusqu'au point où ils se transformeraient en or pur. L'autre partie des

Roger Bacon.

études alchimiques était à la fois comparative et descriptive, et si Bacon la qualifia de spéculative, elle n'en contenait pas moins le germe de la science chimique telle que nous la connaissons aujourd'hui.

Les recherches de Bacon soulevèrent de véritables polémiques ; les supérieurs de son Ordre, qu'il avait gravement inquiétés en se glorifiant devant eux de ses vastes connaissances, le jetèrent en prison. Il y resta pendant quatorze ans et ne fut libéré qu'un an avant sa mort. Il recherchait

Illustration pour La Rose des Philosophes *d'Arnaud de Villeneuve. XVe s.*

sincèrement la connaissance, qu'il plaçait bien au-dessus de l'art magique, et c'est pourquoi il s'attacha à étudier l'alchimie d'une façon beaucoup plus approfondie que ses prédécesseurs. Il scruta les mystères du monde physique, s'efforça d'établir les rapports structurels des métaux dans le dessein de parvenir à la transmutation, processus qu'il

Illustration pour La Rose des Philosophes *d'Arnaud de Villeneuve. XVᵉ s.*

estimait parfaitement réalisable à condition d'y apporter patience et habileté. On ne trouve chez lui aucune trace de cette doctrine hérétique qui voyait dans les rites alchimiques un moyen de parvenir à l'illumination de l'âme.

Arnaud de Villeneuve (1235-1311) traita ses travaux scientifiques en visionnaire et s'il n'eut pas, en ce qui concernait l'avenir de la science, la prescience que l'on attribue à Roger Bacon, il considéra avant tout l'alchimie sous son angle mystique. S'il fut lui aussi emprisonné à plusieurs reprises, ce fut en raison des différends d'ordre politique concernant ses relations avec le haut clergé. Tout comme pour Bacon, ses attaques courageuses contre l'autoritarisme lui attirèrent de graves ennuis. Cependant, mis à part les quelque trois ans qu'il passa à Paris dans la maison d'arrêt, il put voyager à son gré et enseigner en toute liberté. Arnaud de Villeneuve fut, semble-t-il le premier à qualifier l'alchimie de « Rosaire des philosophes ». Ce terme prit des significations diverses au cours des siècles qui suivirent, mais pour lui il impliquait sans doute l'attentive répétition de séries d'expériences ascendantes entrecoupées de méditations et de prières, et non pas les simples travaux sur la matière effectués dans un laboratoire. Il préconisait l'usage de talismans ayant valeur de symboles pour guider l'homme sur le chemin de la vie, mais en spécifiant qu'ils ne possédaient aucun pouvoir magique, et que leur efficacité exigeait un effort réciproque de la part de celui qui les portait. Ces talismans, disait-il encore, n'ont de valeur que pour les purs de cœur et d'esprit. Il faisait sien ce très ancien principe que l'œuvre alchimique doit réaliser l'unité entre l'expérience et l'expérimentateur. Pour entreprendre cette œuvre, l'alchimiste doit être lui-même un vaisseau purifié, tout comme ceux qu'il utilise au cours des expériences. Il établissait un parallèle théologique entre la vie et la passion du Christ et le rythme de ses travaux. Il faisait également usage, dans la préparation de ses matériaux, de rapports numériques qui n'ont plus guère de signification pour le savant d'aujourd'hui, et qui rappellent singulièrement les nombres semi-magiques de l'alchimiste arabe. Il s'attend à voir se produire les classiques changements de couleur qui aboutissent aux teintes éclatantes de la Queue du Paon, puis à la formation

de la fameuse poudre rouge, poudre qui à partir de cette époque est assimilée à la Pierre philosophale. Elle doit être traitée avec le plus grand soin, puis ajoutée, dans des proportions extrêmement précises, à du mercure, l'or étant le résultat final de cette opération. Il se produisait, à ce que l'on dit, de terrifiantes explosions dans les officines alchimiques, ce qui laisse à penser que, dans certains cas, cette poudre rouge n'était autre que du fulminate de mercure. La légende veut que frère Bungay et Bacon aient sauté ainsi, à Oxford, au cours d'une telle explosion, et qu'ils soient tombés tout droit dans les griffes du diable, mais bien entendu, c'est là un récit apocryphe. Par contre, nul n'a prétendu qu'Arnaud de Villeneuve ait disparu, environné de flammes, dans un bruit de tonnerre. Cependant il ne fait aucun doute qu'il pratiqua l'alchimie. Il mourut paisiblement en mer, à l'âge de soixante-seize ans, peu après avoir rencontré Raymond Lulle.

L'alchimie avait désormais acquis la forme extérieure qu'elle devait conserver par la suite en Europe. Quant à son contenu spirituel, il avait déjà moins d'importance qu'à l'époque où les expériences de laboratoire n'étaient que de simples démonstrations des mystères de l'âme. Elle était maintenant empreinte de plus de magie, mais aussi de plus de science dans les recherches expérimentales. De nouvaux composés chimiques y étaient étudiés, ce qui relevait des sciences naturelles, et de nouvelles doctrines issues de mythes anciens se répandaient parmi les Européens cultivés de ce début du XIVe siècle. Déjà pointait l'aube de la Renaissance. Elle se manifestait par un nouveau naturalisme en art, par une nouvelle attitude d'esprit favorable à une rigueur scientifique dans l'étude, et par une soif d'idées neuves. Et nombre de ces idées durent être largement répandues lorsque fut dissous, en 1312, l'Ordre des Templiers.

CHAPITRE V

Condensation

AU cours du XIVᵉ siècle, de nouvelles tendances se manifestèrent en alchimie. Donnant lieu à d'interminables discussions, elle vit s'accroître de façon notable le nombre de ses adeptes et attira l'attention des milieux officiels. Ceux-ci se montraient parfois sévères, ne fût-ce que pour protéger les riches citoyens contre les atteintes de charlatans et imposteurs qui se glissaient parmi les alchimistes. Une société européenne plus stable en avait facilité l'essor. Le régime féodal était parvenu à son niveau le plus haut, et si la guerre sévissait en Europe occidentale de façon endémique, on n'en assistait pas moins à un accroissement général de la culture. Une vie mieux organisée, un commerce plus florissant, et par-dessus tout, un plus haut degré d'enseignement favorisèrent l'expansion des connaissances. Cette période, essentiellement romantique, vit naître les rites charmants de la chevalerie.

Raymond Lulle s'est acquis parmi les alchimistes une durable célébrité. Ce noble Catalan était un mystique. A une folle jeunesse succéda chez lui une sérénité toute chrétienne. Il se donna pour mission de répandre la vraie foi parmi les Infidèles en argumentant et discutant direc-

tement avec eux. Grand voyageur, il noua, fait remarquable, en Europe orientale et dans certaines régions d'Asie Mineure, des rapports avec des sectes chrétiennes aux doctrines hérétiques qui s'en étaient retournées sur les confins du branlant Empire byzantin. Il partit finalement pour l'Afrique du Nord évangéliser les populations qui le récompensèrent en le lapidant. Ses nombreux ouvrages philosophiques et théologiques comptent parmi les chefs-d'œuvre de la littérature catalane. Mais dans aucun d'eux il ne se fait l'avocat de l'alchimie. Sa grande sagesse, son mode de pensée, ses voyages en pays lointains lui acquirent une extraordinaire célébrité. On racontait qu'il avait, pour le compte du roi Edouard d'Angleterre, transformé en or des tonnes de cuivre et de laiton, alors qu'il travaillait avec un certain « Abbé Cremer », de Westminster. Etant donné qu'on ne relève pas plus de traces de cet abbé Cremer que d'un voyage de Raymond Lulle en Angleterre, il doit s'agir là d'une mystification involontaire. Sans doute quelques auteurs citèrent-ils des passages de ses œuvres pour illustrer leur pensée, et c'est ainsi qu'on le dota finalement de tous les attributs de l'alchimiste.

Cependant l'alchimie continuait de suivre, en Islam, un cours régulier et monotone ; elle se perpétuait également dans l'Empire byzantin, mais elle s'était par contre transformée, en Europe occidentale, en une discipline philosophique et chimique. La conception qu'en avaient les Européens rappelait sur bien des points celle des Grecs de l'Antiquité. Il existait une forte tendance aux spéculations théoriques qui n'aboutissaient que rarement à des expériences pratiques au but bien défini. Le grand émerveillement que l'on éprouvait devant l'univers et la signification qu'on lui prêtait, se cristallisèrent en une sorte de mythologie christianisée. Les expériences chimiques découlant des travaux des Arabes prirent plus d'importance,

◀ *Une rue commerçante de Bologne au XIVᵉ siècle.*

aux yeux de bien des gens, que la répétition de processus déjà connus. L'alchimie expérimentale cessa d'être une mystique contemplative et se mit à la recherche d'un système pratique de purification des métaux jusqu'à ce que, débarrassés de leurs scories et impuretés, ils révèlent leur véritable nature, c'est-à-dire l'or le plus pur et le plus parfait. Chaque substance, ou combinaison de substances, nouvellement découverte attirait l'attention et donnait immédiatement matière à expérience afin d'en déterminer les possibilités. Ces travaux aboutirent à d'utiles et importantes découvertes en chimie proprement dite, la poudre à canon entre autres. Grâce aux progrès qu'ils accomplirent dans l'étude de la matière, les alchimistes surpassèrent les Anciens à qui leur art devait ses mystiques origines.

Cependant l'alchimie n'en conservait pas moins son caractère mystique. Le côté matériel ne prit pas totalement le dessus au cours du XIVᵉ siècle, et l'alchimiste sérieux continua d'estimer qu'il était lui-même partie intégrante de son œuvre. Ce n'était pas là une attitude défensive ayant pour but de distinguer l'adepte du charlatan, mais bien plutôt un aspect essentiel de son art. Que la personnalité de l'alchimiste fût en accord avec la nature de l'œuvre était chose indispensable. Cette œuvre consistait en la purification du monde de la matière dans le dessein d'en révéler la véritable nature qui est l'or. La substance devait passer par toutes sortes d'épreuves symboliques avant que ne se produise le changement final. Et ce dernier s'effectuait non dans la substance elle-même, mais grâce à l'addition d'un « transmutant », autrement dit la Pierre philosophale. Certains alchimistes la disaient être une poudre rouge ; mais en règle générale, dans la littérature alchimique, elle est décrite comme une substance ineffable, tout à la fois solide et liquide, terre et métal.

On rencontre rarement deux définitions semblables de

cet agent final de transmutation. Cependant, au XIVe siècle, on s'attendait plus volontiers à voir cette substance magique prendre une forme solide, peut-être en raison de la connaissance sans cesse grandissante que l'on avait du monde physique. Les essences, les vapeurs, la fine poudre même, résultant de la calcination, devaient être ramenées à l'état solide. On en concluait tout naturellement que cette pierre miraculeuse était un solide. Mais elle devait être également fluide de nature puisque son rôle consistait à imprégner la substance qu'elle allait transformer. C'est pourquoi, par le raisonnement, on lui prêtait l'aspect d'une poudre extrêmement fine, d'une farine, ou fleur de la Pierre (tout comme aujourd'hui encore nous appelons Fleur de soufre le soufre réduit à l'état de poudre fine).

Voilà comment procédait Nicolas Flamel, le plus grand des alchimistes du XIVe siècle. Il préparait le « transmutant » dans l'alambic par calcination et distillation en observant avec attention les changements de couleurs. C'est ainsi qu'il obtenait les élixirs blancs, puis rouges, et, dans le creuset, le résultat attendu. Cependant le récit que fait Flamel de l'opération est bien plutôt la description d'une vision, et l'or obtenu après l'épreuve finale par la pierre rouge était ductile et malléable. Peut-être ne s'agissait-il là que d'un alliage. Dans ce domaine, nous en sommes réduits aux suppositions. Quoi qu'il en soit, la légende qui veut que Flamel ait fait sauter sa maison en usant de la poudre rouge est une transmutation des faits. On raconta, après sa mort, qu'on découvrirait certainement, dans sa demeure, un peu de cette poudre miraculeuse. Les gens s'y ruèrent et la fouillèrent de fond en comble, y faisant de nombreux dégâts, et c'est sans doute pourquoi le bruit courut qu'elle avait sauté au cours d'une explosion. On raconte aussi qu'on trouva, au fond d'un creuset, un petit lingot d'or, mais cela aussi, c'est pure invention.

La vie de Flamel contient des éléments autrement importants que l'existence problématique d'un lingot d'or. On relève chez lui, plus que chez n'importe quel autre, les caractéristiques du véritable alchimiste.

Nicolas Flamel était un homme instruit et un écrivain public de grand talent. Il composait des livres, rédigeait des documents pour des clients et avait sous ses ordres une équipe de copistes qualifiés, ce qui, en cette époque où n'existait pas encore l'imprimerie, lui permettait de gagner largement sa vie par le commerce des livres. Rares étant ceux qui savaient lire et écrire, il occupait un rang social important, et son commerce le mettait en rapport avec les nobles qui gravitaient à la cour. Peut-être est-ce en sa qualité d'enlumineur de manuscrits qu'il s'intéressait tout spécialement à l'or. La description qu'il donne de la parfaite malléabilité de l'or alchimique nous le laisse à penser. Une chose est certaine. Flamel était un excellent homme d'affaires et il contribua certainement à l'élaboration d'œuvres d'art telles que les Livres d'Heures de la fin du XIVe siècle. Il était riche et respecté.

Flamel ne se faisait pas une idée excessive de sa propre importance. S'il chercha à pénétrer les mystères de l'alchimie, ce ne fut pas dans le dessein d'accroître ses richesses, et si l'or alchimique entra pour une part dans ses dons à l'Eglise, cette part ne dut pas être importante, car ainsi que le fait remarquer E.J. Holmyard, la fortune de Flamel, acquise dans les affaires, suffit à expliquer ses libéralités. Lui-même faisait preuve d'austérité, et en sa qualité d'alchimiste s'astreignait à mener une vie simple et à se vêtir sans ostentation. Il payait bien ses employés et fit même des legs à certains d'entre eux. L'échoppe de Nicolas Flamel, écrivain public et libraire, est l'illustration, à une échelle réduite, des principes les meilleurs de ce monde du commerce qui devait succéder, quelque cinq siècles plus tard,

Nicolas Flamel.

au régime féodal. Les entreprises réellement lucratives dépendaient des équipes d'artisans qui, à leur tour, bénéficiaient de leur succès. Les rapports entre employeurs et employés étaient bons car ils s'inspiraient des principes d'un enseignement chrétien. La vie conjugale de Nicolas Flamel et de Dame Pernelle fut elle aussi quelque chose d'assez remarquable. Ils se marièrent alors qu'ils étaient déjà tous deux d'un certain âge. En effet, Dame Pernelle avait dépassé la quarantaine. Elle sut mener, d'une main ferme et douce à la fois, sa maison et tous ceux qu'elle abritait. On sait peu de chose de leur roman d'amour, mais on devine chez eux la rare et précieuse union de deux cœurs. Nicolas Flamel survécut vingt ans à sa femme et fut, tout comme elle, inhumé dans l'église Saint-Jacques-la-Boucherie, proche de leur demeure. Si l'alchimie exigeait de ses adeptes de telles qualités, rien d'étonnant à ce qu'elle en ait compté si peu de véritables.

Ce fut un songe à la fois archétypique et prémonitoire qui amena Nicolas Flamel à l'alchimie. La vision qu'il eut d'un ange tenant entre ses mains un livre mystérieux couvert de caractères inconnus fut pour lui l'annonce d'un boule-versement imminent dans sa vie. La promesse qui lui fut faite que ce livre lui deviendrait compréhensible par la suite lui parut étrange, car il n'avait aucune idée de son contenu. Cette vision s'évanouit dans une lumière éclatante, ce qui en soi-même était une expérience intéressante du point de vue psychologique. Or quelques jours plus tard, Flamel vit en vente, dans une boutique de Paris, le livre en question. Il était relié de feuilles de cuivre, les pages en étaient de fine écorce (probablement du papyrus), et entre chaque septième feuillet, il y avait une illustration. Les caractères avaient été gravés au moyen d'une pointe de fer et le texte était rédigé en latin. C'est ainsi qu'en 1357 Nicolas Flamel entra en possession du *Livre d'Abraham le Juif* dont il avait eu tout récemment la vision.

On ne peut s'empêcher de se demander s'il existait un réel rapport entre cet ouvrage et ceux qui par la suite furent publiés sous son nom. Flamel décrivit les illustrations qu'il contenait et qui furent si souvent reproduites, mais il n'en divulgua pas le texte. Ce qu'il nous en est parvenu est si confus que nous avons peine à admettre que les copies soient autre chose que des reconstitutions imaginaires dues à des alchimistes ultérieurs ayant plus de foi que de connaissances. Certaines remarques que fit Flamel laissent à penser qu'il s'agissait d'une œuvre de la communauté juive d'Alexandrie datant du Ier siècle de notre ère. Etait-ce

Le jardin mystique. Manuscrit du XVIe siècle. ▶

ià l'original, une copie, ou une œuvre d'anticipation ? La fascinante intrusion de l'irrationnel dans cette histoire nous incline à croire qu'il y eut quelque chose de bizarre dans cet ensemble de circonstances. Les illustrations elles-mêmes, bien que dans la plus pure tradition alchimique, ne concordent pas avec ce que nous savons du texte. Auraient-elles été ajoutées ultérieurement ?

Flamel fut à ce point bouleversé par ce qui lui arrivait qu'il en tomba malade. Il confia ses tourments à sa femme qui, avec son bon sens habituel, le persuada de demander l'avis de gens autorisés. Ils firent alors des copies des illustrations du *Livre d'Abraham* et les montrèrent. C'est ainsi qu'ils se lièrent avec un alchimiste, mais la traduction qu'il fit du livre et les interprétations qu'il en donna ne menaient à rien. Neuf ans s'écoulèrent avant que Flamel pût se rendre en Espagne où il fit la connaissance d'un Juif converti qui étudiait la Kabbale. Ils prirent ensemble le chemin de Paris pour examiner le fameux livre, mais l'adepte tomba malade et mourut après avoir cependant donné à Flamel assez d'éclaircissements pour qu'il pût percer les obscurités de ce texte latin. Flamel et Dame Pernelle, suivant les instructions du livre, se mirent au travail devant leurs fourneaux et alambics. Ils mirent sept ans à achever leur œuvre. Ils découvrirent alors un élixir d'une blancheur éblouissante qui transmutait le plomb en argent. Ils poursuivirent leur processus qui s'accompagna des classiques changements de couleurs jusqu'à obtention de l'élixir rouge dont on se servait pour transmuter une certaine quantité de mercure en un or merveilleusement malléable et ductile. Cependant tout laisse à penser que les Flamel n'effectuèrent qu'un nombre limité de telles opérations. Lorsque Dame Pernelle mourut en 1397, quarante ans après la découverte du *Livre d'Abraham le Juif,* ils n'avaient opéré en cinq ans que trois transmutations, et l'on croit savoir qu'ils employèrent l'équivalent en monnaie de cet or à faire des dons à des œuvres charitables de Paris.

Les expériences alchimiques qui se déroulèrent dans ce petit univers fermé furent-elles couronnées de succès ? Rien n'est moins certain. Elles exigèrent beaucoup de temps de ces deux êtres profondément attachés l'un à l'autre qui, en plus de leur activité créatrice, accomplissaient dévotement leurs devoirs religieux et accordaient leur soutien à des œuvres charitables. Ils vécurent toute leur vie dans une France en guerre qui luttait contre l'envahisseur anglais et qui ne bouta l'ennemi hors de ses frontières qu'après la mort de Dame Pernelle. En cette période critique de l'histoire de l'alchimie, il est hors de doute que Paris connut des temps incertains et troublés.

La vision qu'eut Flamel du *Livre d'Abraham* est vraiment étonnante et pose nombre de questions auxquelles, faute de données suffisantes, nous ne pouvons répondre. Les deux êtres qu'elle concernait avaient déjà atteint un haut niveau moral et spirituel avant de suivre les instructions qu'ils puisaient dans sa mystérieuse phraséologie. Par quelles affres durent-ils passer et qu'estimèrent-ils avoir gagné de par ces expériences, cela nous l'ignorons. Leurs contemporains voyaient en eux de dignes et saintes gens qui avaient fabriqué et prodigué beaucoup d'argent et qui, plus que probablement, détenaient le secret de la Pierre philosophale. D'où la destruction de leur maison toute proche de l'église Saint-Jacques-la-Boucherie. Seule est parvenue jusqu'à nous la pierre tombale de Nicolas Flamel dont l'inscription est caractéristique de ses écrits. Il ne reste, de Saint-Jacques-la-Boucherie, que la tour Saint-Jacques et nous comprenons en l'admirant, pourquoi Flamel et son épouse étaient si attachés à leur église. Plaisante coïncidence, cette tour abrite aujourd'hui une station météorologique.

Tandis que se déroulait à Paris l'étrange destinée de

Nicolas Flamel et sa femme, Pernelle.

Flamel, l'Europe tout entière manifestait un regain d'intérêt pour l'alchimie. En Angleterre sévissaient tant de charlatans qu'on limita la pratique de l'alchimie par des licences royales parcimonieusement accordées dans l'espoir de richesses qui permettraient de poursuivre la guerre contre la France. Rien ne prouve que ces alchimistes aient répondu à ces espoirs. Geoffroy Chaucer, diplomate et poète, nous donne une idée exacte du comportement d'un Anglais cultivé devant l'alchimie. Une brève analyse du conte *Le Yeoman du Chanoine* permettra d'en juger.

L'alchimiste de Chaucer est en effet un chanoine, c'est-à-dire un érudit, un lettré possédant les connaissances qu'exigeait son office. Son fidèle serviteur, un yeoman d'un dévouement à toute épreuve, se désolait de leurs continuels et lamentables échecs. Il décida de révéler aux pèlerins de Canterbury à quels déplorables expédients avait recours le chanoine pour se procurer de l'or, c'est-à-dire des tricheries et des escroqueries. Comprenant le danger qu'il courait, le chanoine prit la fuite, laissant son serviteur poursuivre son récit. De toute évidence ces alchimistes anglais munis d'ouvrages traitant de cette science, s'étaient efforcés de découvrir la Pierre philosophale, ou élixir, en opérant des transmutations par des moyens honnêtes. Leurs échecs furent sans doute dus en partie au fait qu'il était impossible, à cette époque, de se procurer des appareils capables de supporter les températures et les pressions qu'exigeaient les expériences.

Bien souvent il arrive
Que le pot se brise, et adieu son contenu.
Ces métaux se montrent d'une telle violence
Que nos murs ne leur résistent pas,
Bien qu'ils soient de chaux et de pierre ;
A travers le mur les voilà partis ;
Certains d'entre eux s'enfoncent dans la terre
(Nous en avons perdu ainsi bien souvent plus d'une livre)
Et d'autres se répandent sur le sol,
Tandis que d'autres encore, la chose est sûre, s'envolent
[par le toit.

Chaque échec provoquait de nouvelles discussions et entraînait de nouvelles expériences. Ces deux hommes s'endettèrent, empruntant de telles sommes qu'ils ne pouvaient guère espérer désintéresser de leur vivant leurs créanciers. Le chanoine qui devait jouir d'un confortable bénéfice était en loques lorsqu'il se joignit aux pèlerins. Quant au yeoman, maigre, jaune, il avait visiblement ruiné sa santé en s'exposant jour et nuit à la chaleur des fourneaux et en respirant les vapeurs délétères des substances qu'il employait, entre autres le mercure et ses dangereux composés.

C'est là un lamentable contraste avec l'admirable vie d'un Nicolas Flamel. Nous ne trouvons, dans le conte de Chaucer, pas la moindre allusion à la philosophie et aux méditations, parties intégrantes de l'alchimie. Celle-ci n'était plus qu'une sorte de science en quête d'une substance spécifique permettant de transmuer un métal vil en un métal noble. Et c'est là que les deux voies bifurquèrent. Des êtres cupides s'emparèrent des connaissances des philosophes et il en résulta de grands maux et misères. Cet état de fait devait se perpétuer pendant les trois siècles qui suivirent. La recherche de la Pierre philosophale que l'on croyait être également un élixir et une Panacée devint une véritable passion exerçant sur certains individus l'effet d'une drogue. Plus forte que la passion du jeu, on pouvait cependant l'y comparer, mais l'enjeu était si élevé que bien trop souvent le joueur ne faisait plus la distinction entre ses biens et ceux des autres.

La fin du conte de Chaucer démontre qu'il connaissait parfaitement la littérature alchimique, car il fait des citations tirées du célèbre manuscrit *Secreta Secretorum* que l'on disait renfermer les instructions d'Aristote à Alexandre sur l'art de la transmutation, rédigées dans le plus pur style alchimique, et attribuées à Hermès, créateur de cet art. Chaucer dit pour conclure : « Etant donné qu'on peut lire dans ce manuscrit que Dieu seul possède la connaissance secrète et qu'Il ne l'impartit qu'aux rares élus qu'Il juge dignes de recevoir cette connaissance, il n'y a aucune raison de penser qu'un quelconque alchimiste possède cette connaissance. »

Cependant, Chaucer nous donne une liste assez complète des matériaux employés par les alchimistes de son temps : vases divers faits de grès et de verre, fioles, cornues, appareils sublimatoires, cucurbites et alambics ; eau rubifiante, fiel de bœuf, sel ammoniac, soufre brut, et herbes médicinales comprenant entre autres l'aigremoine, la valériane et la lunaire.

Il existait aussi une eau spéciale pour l'albification (blanchiment), dont on usait après calcination de la substance dans le fourneau. Cette eau devait contenir de la chaux vive, de la craie et du blanc d'œuf.

Il mentionne également diverses poudres, fiente, urine et argile. (Les alchimistes les employaient dans un bain spécial où leur fermentation assurait un chaleur douce et régulière ; ces substances répugnaient sans doute moins qu'à nous à des gens habitués aux ruelles de l'époque, couvertes d'immondices.) Il cite aussi d'autres substances desséchées, telles que le salpêtre et le vitriol. On alimentait les fourneaux à l'aide de bois et de charbon de bois. Le sel tartrique, l'alcali et le sel, préparés, servaient à la combustion et à la coagulation. On usait, pour traiter le tartre, l'alun et la levure, de vaisseaux de terre cuite renforcés d'étoupe et d'huile, puis on y ajoutait lentement, en y incorporant du réalgar ou arsenic rouge, la fine argile des potiers. C'était là une des phases de la citrination de l'argent et qui servait également à la cémentation et fermentation des lingots ainsi qu'à des contrôles. Il existait quatre esprits volatils : le mercure, l'orpiment, le sel ammoniac et le soufre ; et sept métaux : le Soleil (l'or) ; la Lune (l'argent) ; Mars (le fer) ; Mercure (le vif-argent) ; Saturne (le plomb) ; Jupiter (l'étain) ; et Vénus (le cuivre). Que de matériaux pour un si maigre résultat ! Il convient de noter que, du point de vue chimique, les Alexandrins furent surpassés par les Arabes, et que ceux-ci furent les dépositaires des connaissances qui parvinrent jusqu'à Chaucer.

On en était donc arrivé, à la fin du XIVe siècle, à une totale acceptation, en Europe, des processus transmis par les Arabes. Ces processus s'étaient cristallisés sous une forme plus matérialiste, et malgré leurs faiblesses et leurs imperfections, ils n'en furent pas moins les ancêtres de la chimie expérimentale. D'autre part, la philosophie attribuée aux Grecs et à Hermès nous parvint par des sources arabes et byzantines. Les chrétiens du Moyen Age avaient un mode de pensée bien à eux, et le chargeaient d'un sens plus riche du rapport entre la volonté divine et l'âme de l'adepte. Mais rares étaient les adeptes disposés à entreprendre la longue quête de la sagesse. Prières et méditations, simplicité et dépouillement avaient été l'apanage d'un Nicolas Flamel, mais ce n'était pas ce que recherchaient les expérimentateurs frustrés dans leurs espoirs. Dans le mystère hermétique, l'adepte devait avoir passé par le creuset de la vie, tout comme les substances dont il usait pour procéder à la transmutation. Dans les années à venir, ce fut le privilège d'un petit nombre de mener la vie toute de dévouement et d'adoration qu'exigeait cet art.

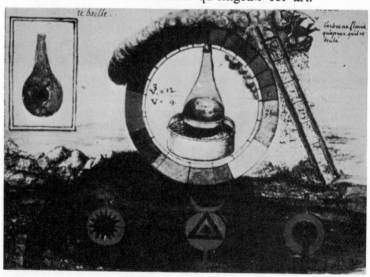

Distillation des minéraux
qui de dessous la terre montent jusqu'aux vapeurs du ciel.

CHAPITRE VI

Cristallisation

L E début du xvᵉ siècle marqua un tournant dans l'histoire européenne. Les nations prenaient forme et
l'équilibre des puissances se révéla favorable au développement d'une nouvelle structure sociale. Et c'est désormais en Europe que se pratiqua tout spécialement l'alchimie.
Sous la domination turque, les pays asiatiques furent de
plus en plus coupés du reste du monde, et si l'alchimie
islamique perpétua ses traditions, elle cessa de progresser
et exerça de moins en moins d'influence sur l'Europe. Le
déclin de Byzance amena nombre d'érudits, emportant avec
eux livres et manuscrits, à gagner l'Occident, et tout particulièrement les Etats italiens qui devinrent les pépinières
d'idées nouvelles tout imprégnées de classicisme. Un enseignement plus largement répandu, des livres toujours plus
nombreux, des savants laïcs rivalisant avec les moines lettrés,
telles étaient les caractéristiques d'une culture qui contribua
grandement à l'expansion des doctrines alchimiques.

A mesure que le siècle avançait, la culture européenne
se modifiait profondément sous de nouvelles impulsions.
L'Occident avait vu naître des Etats puissants, mais leurs

frontières ne constituaient qu'une faible barrière à une culture encore uniforme. Cette uniformité était toujours évidente à la fin du siècle où, tandis que Byzance tombait aux mains des Turcs, Cordoue tomba entre celles des Espagnols. De Vienne à Gibraltar s'étendit dès lors une chrétienté unie et agissante. De nouvelles classes s'élevèrent dans la société grâce au développement du commerce intérieur et des relations transocéaniques. L'or acquit une importance toujours plus grande, ces jeunes et bouillonnants Etats ayant besoin de réserves monétaires pour financer entreprises rehaussant leur prestige, et guerres. Marchands et banquiers rénovèrent le monde du commerce, et c'est ainsi que la culture pénétra de plus en plus dans le milieu séculier.

Au milieu de tous ces bouleversements, les alchimistes continuaient de suivre leur routine traditionnelle. Et d'un certain point de vue, ils se fossilisèrent. Ce furent les souffleurs, c'est-à-dire ceux qui n'opéraient des transmutations que dans un dessein uniquement lucratif, qui prirent le dessus. Les philosophes inspiraient une certaine crainte, mais leur position de sages et solitaires expérimentateurs n'était pas menacée. Rares furent ceux qui laissèrent, sur l'art alchimique, des œuvres d'une certaine importance. Ils étaient las de toujours répéter les mêmes choses que leurs prédécesseurs sur la matière première, mais aucun d'eux n'était disposé à trahir le grand secret en l'énonçant de façon intelligible dans des manuels qui se voulaient scientifiques. En réalité ils ne pouvaient formuler leur doctrine hermétique en termes prosaïques. « L'or des philosophes n'est pas un or vulgaire », avaient-ils coutume de dire. Les souffleurs et autres naïfs voyaient là une manière de dire que l'or alchimique était plus pur que celui qui servait à frapper les monnaies. Il arrivait aux nobles et aux princes de s'emparer d'un de ces philosophes, de le garder pri-

Un cours à l'Université. Miniature du XIVᵉ siècle.

sonnier dans l'espoir qu'il remplirait les coffres bardés de fer de leur trésor. Mais le plus souvent ses travaux infructueux ne lui valaient que mauvais traitements et disgrâce.

Le processus alchimique s'était profondément modifié depuis l'époque de Marie la Prophétesse et de son *kerotakis*. On ne déposait plus de l'or au fond d'un vase. Les appareils permettant distillation et fermentation s'étaient multipliés (ce qui aboutit entre autres à une découverte intéressante, celle de l'alcool). On ne cherchait plus à produire de l'or *ab initio*, mais à préparer ces poudres miraculeuses qui deviendraient la Pierre philosophale qui à son tour permettrait de transmuter le plomb en argent et le mercure en or. Mais il fallait d'abord partir de la matière première. Il ne s'agissait pas là d'une composition atomique simple, mais bien de la masse confuse d'où était née la terre et les trésors qu'elle renfermait. Il est probable que, trois millénaires plus tôt, les grands prêtres d'Egypte aient vu là le noir limon générateur de vie apporté par Hapi, ce dieu personnifiant le Nil, au cours des crues annuelles. Mais à l'époque médiévale, on avait de plus simples conceptions, et l'alchimiste désignait sous ce terme les substances les plus viles et les plus méprisées, cette interprétation donnant lieu d'ailleurs à de nombreuses discussions. Excréments humains, matières de toutes sortes en état de décomposition, plantes médicinales dotées de propriétés magiques, certaines roches, le lait, la semence, tout ce qui symbolisait la nature en ses commencements était utilisé. Certaines de ces substances, mélangées en un affreux brouet de sorcière, étaient ensuite soumises à la chaleur dans d'épais et résistants vaisseaux. Il fallait, pour effectuer cette opération, attendre une conjonction favorable des planètes et des signes appropriés du zodiaque. Le mystère englobait l'univers tout entier, et le chercheur devait faire appel à tous les aspects de la création, car le but recherché n'était rien moins que la purification de la nature. Dans le vaisseau tiédi sur un lit de matières en fermentation, l'alchimiste pouvait suivre du regard les différents stades de la fermentation et de la putréfaction. Au moment voulu, alors que la matière brute, non purifiée, était sur le point de subir une transformation, il posait le vaisseau sur le fourneau et lentement la chaleur s'élevait. La masse se séparait alors en quatre états élémentaires. La Terre restait au fond du vase, et devenait de plus en plus lourde à mesure qu'elle noircissait et se condensait. L'Air s'échappait sous forme de vapeurs noires, grises, blanches et parfois colorées selon le contenu du vaisseau. L'Eau se mettait à bouillonner et était par la suite redéposée par une distillation qui devait sembler à l'alchimiste relever de la magie, et brusquement

Gravure illustrant la Philosophia reformata *de Mylius.*
Francfort. 1622.

le Feu surgissait de la masse élémentaire sous forme de gaz enflammés. Le miracle venait de s'accomplir.

L'alchimiste prenait grand soin, à chaque étape du processus, de consulter les œuvres traditionnelles les meilleures qu'il pût se procurer et qui le guidaient dans sa quête. Parce qu'il était chrétien, alors qu'il s'efforçait, par son Grand Œuvre, de découvrir dans toute leur beauté les merveilles de la nature, il évoquait le *Cantique des Cantiques* et la liturgie de l'Eglise. L'œuvre était accomplie dans la prière et la dévotion. Le véritable adepte venait d'établir, à sa manière, la preuve de l'unité de la Création. Les éléments, maintenant séparés, s'opposaient les uns aux autres. Le feu et l'eau ne se mêlent pas et comment réconcilier l'air et la terre ? L'initié se rappelait alors avec émerveillement les sept jours de la Création. Il y voyait le signe de la puissance du Très-Haut.

L'alchimiste qui, dans un tel état d'esprit, répétait pendant des semaines, des mois les mêmes processus ne cherchait nullement à atteindre un but scientifique. La connaissance chimique n'était pour lui qu'un à-côté. Elle revêtait pour certains de l'importance mais n'était nullement essentielle au processus. Tous les archétypes mythologiques y apparaissaient. L'alchimiste exprimait des pensées surgissant du plus profond de lui-même, mais dont il ne percevait que les manifestations extérieures. Les dragons verts, les lions blancs et rouges étaient tout à la fois des substances matérielles et des figures symboliques. Dans l'état d'esprit où il se trouvait, l'adepte ne pouvait se confiner dans la voie étroite du rationalisme. Son œuvre tout entière n'était autre chose que la quête d'un mystère ; il ouvrait le fond même de son âme à des idées à demi formulées et interprétait les faits comme des visions. Il n'en restait pas moins conscient du côté matériel de ses expériences. Il était de grande importance pour lui d'employer les substances adéquates, de les exposer à la chaleur en temps voulu, de se servir de vaisseaux de la capacité nécessaire et de soufflets de la dimension donnée. Son interprétation des modifications qui s'opéraient était conditionnée par la tradition, et non par de logiques déductions. Il lui fallait, s'il voulait être un véritable alchimiste dans toute l'acception du terme, se conformer à sa préparation et aux méditations d'adeptes antérieurs. Il ne faisait pour lui aucun doute que, contemplant cette masse bouillonnante, il assistait aux combats que se livraient les éléments personnifiés par des lions et des dragons. Et il devait aussi se pénétrer de cette idée que, dans sa propre vie, le processus de purification pouvait se révéler aussi douloureux, mais également aussi bénéfique que la lutte qui se déroulait dans le vaisseau scellé posé sur le fourneau. Il en arrivait alors au *nigredo,* ou noircissement. La matière gisait, masse inerte et noire, sous les condensations et les vapeurs. Arrivé à ce stade, l'alchimiste s'arrêtait souvent pour effectuer à nouveau une même opération au cours de laquelle les distillations retournaient à la masse noire. Cela évoquait pour lui l'esprit de vie retournant dans le corps en décomposition, et les prières qui accompagnaient l'opération exprimaient le désir de purification du corps corrompu et brisé.

Venait alors la redistillation, répétée parfois des centaines de fois, et le danger toujours présent que par une mauvaise répartition de la chaleur dispensée par le fourneau se produise une explosion qui détruirait l'œuvre tout entière. De la patience, et encore de la patience, et tel Job sur son fumier, la parfaite acceptation des souffrances imposées, tel était le sort de l'alchimiste. Un sort rude car il lui fallait sans cesse se procurer de nouvelles matières, et chose plus difficile encore, des vaisseaux de verre et de grès assez résistants. Il devait se garder de laisser croire aux gens qu'en fouillant son laboratoire ils y découvriraient de l'or. Mais d'autre part il lui fallait sans cesse, et sous n'importe quel prétexte, se procurer des fonds. C'est pourquoi nombre d'aspirants philosophes se faisaient souffleurs dans l'espoir de réunir les sommes qui leur permettraient de continuer en secret leur œuvre de purification de la matière.

Si l'œuvre s'était jusque-là bien déroulée, grâce à la protection des étoiles et aux méditations, arrivait alors le moment de l'expérience finale. Les condensations distillées et les flammes retombaient sur la masse noire qui rougissait, s'embrasait, puis blanchissait. Il en allait toujours ainsi et le premier changement de couleur ne provoquait

aucune surprise. Cependant il avait pour l'adepte une signification mystique. La respiration régulière du soufflet
comportait également une signification toute particulière, car
la transformation finale ne s'opérait qu'au moment décidé
par les cieux. L'homme ne pouvait à lui seul provoquer
ce qui allait se produire. Tout tendait à l'apparition de
la plus magnifique des blancheurs. Puis surgissait le Phénix,

Illustration pour le Trésor des trésors. *XVIIᵉ siècle.*

cet étrange joyau d'un blanc étincelant, la fleur, les plumes déployées du feu blanc. Là le processus s'arrêtait. L'alchimiste prenait un peu du contenu du vaisseau, le versait sur un lingot de plomb, fondu dans un creuset. Le lingot devenait brusquement blanc et brillant... le plomb s'était transmué en argent. L'alchimiste avait réussi la fabrication de l'élixir blanc.

Ceux qui l'osaient poursuivaient le processus. Le blanc devenait rouge, jaune or, puis éclatait en un scintillement de couleurs, la Queue du Paon. Ce n'était là que le prélude d'une chose indescriptible, un bleuissement, un blanchiment suivis de ténèbres plus vives que la lumière. Arrivé à cette phase, le processus s'arrêtait. Il ne restait plus dans le vaisseau que la poudre rouge, la vraie Pierre qui n'est pas une pierre, l'Eau philosophale qui est bleue et qui n'est pas de l'eau, le mystère qui, jeté dans un creuset sur du vif-argent, le transmute en or.

C'est cela dont rêvaient tous les alchimistes ; ils tenaient plus qu'à la vie à accomplir cette expérience. Peu y parvenaient. Longuement décrite dans les livres, les charlatans se vantaient de l'avoir effectuée et elle hanta l'esprit des hommes pendant des siècles. Et cependant rares sont les récits dignes de foi parvenus jusqu'à nous. Aucun n'est étayé par des preuves chimiques. Les savants d'aujourd'hui affirment qu'une telle expérience ne pourrait être conduite avec succès dans les laboratoires actuels. Evidemment ils ne se sont jamais attachés à la tâche purement irrationnelle qui consisterait à distiller et à redistiller des substances quelque cinq ou sept cents fois. Et cependant, pour le véritable alchimiste, quelque chose d'ineffable se produisait. Les éléments contraires de la Nature avaient été réconciliés. La Terre, l'Air, le Feu et l'Eau ne formaient plus qu'un dans une substance mystérieuse dotée d'un pouvoir divin qui lui permettait de transformer une matière vile en cette noble perfection qu'étaient l'or et l'argent, assimilés au soleil et à la lune, et au double pouvoir mâle et femelle dans l'œuvre de la création. Etait-ce là un phénomène d'électricité statique ? Se produisait-il quelque étrange combinaison qui amenait le processus jusqu'à un nœud de tension dans un espace à quatre dimensions ? Ou n'était-ce là qu'une bienheureuse vision venant couronner la lente et longue préparation ? Cela, nous l'ignorons. Le mode de pensée fut de tout temps hermétique et il nous est difficile, aujourd'hui, d'en saisir toute la complexité.

Comme le dit le professeur Jung dans les importants ouvrages qu'il a consacrés à ce sujet, le processus de l'œuvre qu'accomplit l'alchimiste peut se comparer à celui qui se déroule dans l'esprit d'hommes de notre temps. Il se manifeste par des rêves et des visions qui jalonnent le développement de la personnalité, un juste équilibre s'établissant entre l'ego et les forces profondes jaillissant de l'Inconscient. Ce processus qui s'effectue dans la « psyché » (c'est-à-dire la totalité de l'être), conduit à l'épanouissement de la « persona » qui est une expression plus vaste et plus profonde de l'être humain et qui inclut la plupart des forces inconscientes dont nous n'avons qu'une obscure prescience. Le processus de l'individuation est alors celui d'une véritable union, la conjugaison des opposés, tout comme en alchimie.

Il ne fait aucun doute que l'alchimiste assimilait ses propres visions intérieures au processus qui se déroulait au cours du Grand Œuvre. Chez nous, ce genre de vision se manifeste, l'âge venant, au plus profond de nous-même, transformant notre caractère, tout comme l'alchimiste espérait transformer la *materia prima* en l'or et en l'argent du soleil et de la lune. C'est là l'expression du principe alchimique de l'universalité de la création qui unit l'homme et la matière au ciel, et finalement à l'esprit divin du Créateur.

C'est ainsi que le philosophe, transporté par sa secrète découverte, avait quelque chose en commun avec l'humanité depuis ses origines, mais c'était là joyau accordé à de rares élus, et dont on ne peut donner une claire définition. La vie n'était pas chose aisée pour ceux qui le possédaient. L'avenir ne leur apportait que souffrances et obscurité. En effet, ainsi que l'expliquaient si justement les alchimistes eux-mêmes, ce joyau méprisé par les humains ne devait être ni donné ni même montré au grand nombre qui l'aurait rejeté.

Les nécessités de la vie matérielle exigeaient cependant que les mystérieuses expériences des alchimistes fussent connues des grands de ce monde. Il fallait aux princes et aux prélats de l'or pour poursuivre leur œuvre civilisatrice (bien souvent un euphémisme pour désigner leur soif de pouvoir). On traînait les malheureux souffleurs dans les ateliers et officines des palais dans l'espoir qu'ils y opéreraient de fructueuses transmutations. On vit même des papes se passionner pour ces recherches. Par la suite, les Espagnols s'assurèrent de nouvelles « mines » d'or en pillant le Mexique et le Pérou, mais, au XIVe siècle, une véritable fièvre s'était emparée de gens qui tous brûlaient du désir de découvrir le merveilleux secret permettant de fabriquer de l'or. Que ne pouvait-on se procurer avec ce noble métal, source de richesse pour les artisans et les marchands ! Les progrès de la civilisation européenne exigeaient des fortunes toujours plus grandes, c'est pourquoi l'on pressait souffleurs et philosophes de faire de l'or, de l'or matériel, et la pauvre âme humaine en était réduite à se frayer seule son propre chemin.

Peu d'alchimistes semblent avoir découvert ce secret. Nombre d'entre eux, au cours de visions et de songes, se virent révéler la voie menant au succès par une apparition prenant la forme d'un vieux philosophe des temps passés, ou le plus souvent, d'un ange. D'autres, profondément engagés dans la voie de l'expérience chimique, s'arrêtèrent au seuil même de la dernière étape... la fabrication de l'élixir. Ils cherchèrent alors à acquérir les connaissances qui leur permettraient de franchir cette dernière étape. Rien n'était moins aisé que d'interpréter des textes volontairement obscurs et bien souvent décevants. Cependant, poursuivant inlassablement leur quête, ils parcouraient le monde à la recherche de la connaissance et finalement rencontraient un étranger qui, après les avoir questionnés, les emmenait dans son laboratoire et prélevait dans sa réserve, à leur intention, une parcelle du précieux transmutant. Dans les relations de ces voyageurs, cette substance est généralement jaunâtre et cireuse d'aspect, un peu comme un galet, mais elle a la consistance de la corne, ce qui permet d'en gratter quelques miettes. Deux ou trois des plus grands alchimistes parvinrent de cette manière à la révélation du mystère. Ils ne prétendirent jamais y être parvenus par leurs propres efforts intellectuels. Il semble qu'ils aient projeté une vision archétype se présentant à eux sous la forme d'un vieux philosophe. Cependant, dans bien des cas, ils étaient persuadés qu'à l'aide de la minuscule parcelle d'élixir qui leur avait été donnée, ils réussiraient à transmuter un lingot de plomb en plusieurs centaines de fois son poids d'or. Nous retrouvons ici l'idée de la fructueuse union de deux contraires. Ce petit et léger fragment de la « pierre », qui a l'aspect de la cire, ou de la corne, transforme le vil et lourd plomb en un or pur et étincelant. Certains de ces alchimistes, tout au moins, croyaient sincèrement une telle expérience réalisable. Quoi qu'il en soit, nous ne pouvons nous livrer à aucune vérification, étant donné que, pour autant que nous le sachions, la transmutation des métaux n'est pas chose possible par des moyens chimiques, à plus forte raison dans des laboratoires qui ne disposaient,

Oratoire d'un alchimisyle de l'époque médiévale
et fourneau à distillation.

pour tous appareils, que de fourneaux et de creusets.
Cependant des savants fort estimés en leur temps parlent
de leurs travaux avec le plus grand sérieux. Peut-être
était-ce là pour eux le moyen de dissimuler autre chose,
et peut-être même leur ignorance du grand secret.

A l'homme de la seconde moitié du XXᵉ siècle, l'alchimie
ne peut paraître qu'irrationnelle. Certaines indications nous
laissent cependant à penser que le phénomène était en
partie provoqué par des décharges électriques dont on ne
s'expliquait pas, à l'époque, la nature. Mais il ne fait aucun
doute qu'au XIVᵉ siècle, tout comme au cours des deux
siècles qui suivirent, on croyait possible la transmutation,
et les termes qu'on employait pour parler de l'or alchimique
prouvent qu'on en admettait l'existence réelle. Tout ce que
nous pouvons dire aujourd'hui, c'est que bien des points
nous restent obscurs. Cependant cette conception que le
plus gros de l'œuvre des alchimistes était en réalité une
projection de la voie difficile que doit suivre l'homme pour
atteindre à la complète unité, garde toute son importance.

Cette théorie psychologique, dont C. G. Jung se fit l'ardent défenseur, a le mérite d'expliquer avec quelle persistance les alchimistes poursuivaient leurs recherches, et la joie, toute de sérénité, qui récompensait les meilleurs d'entre eux. Cette théorie explique également pourquoi il est de toute nécessité de distinguer dans l'alchimie médiévale, la chimie d'une part, et l'alchimie philosophique de l'autre. L'accession à une personnalité parfaitement intégrée est incompatible avec l'avide désir d'or matériel qui jeta la confusion dans l'esprit de tant d'alchimistes.

Un des plus respectés des faiseurs d'or du XIVᵉ siècle fut John Dastyn, qui écrivit à Jean XXII pour prendre la défense des alchimistes lourdement pénalisés par un décret de ce pape qui résidait en Avignon. Dastyn était fermement convaincu que l'on pouvait tirer de nombreux dérivés de la combinaison de substances naturelles. Ainsi de l'or naturel, on devait pouvoir extraire du soufre rouge qui était en lui-même un élixir permettant de transmuter du mercure en or véritable. Qu'un moine, érudit de renom, ait ouvert une controverse avec la Papauté au sujet de l'alchimie dans le premier tiers du XIVᵉ siècle est la démonstration des progrès qu'avait accomplis la pensée purement scientifique de l'époque. Cependant, il ne faut pas voir là une preuve absolue, étant donné que l'argumentation s'appuyait largement sur la tradition et non sur les expériences que tentaient la plupart des alchimistes. Néanmoins nombreux furent ceux qui attribuèrent à l'énorme fortune que laissa à sa mort Jean XXII une origine alchimique, peut-être parce qu'on ne voyait pas, à cette époque, d'un bon œil, un pape à ce point préoccupé des biens de ce monde. Dastyn n'en était pas moins pour tout cela bien considéré, et quoique appartenant à un ordre religieux, on l'autorisa à écrire des ouvrages alchimiques et à procéder, dans son laboratoire, à des expériences.

Une de ses idées les plus intéressantes fut qu'au cours d'une transmutation l'élixir pénétrait dans les espaces séparant les particules de la matière, et que cet élixir était un fluide sans pesanteur. Cela revenait à dire qu'il était de la nature de la chaleur, ou de l'électricité, puisque ces deux concepts furent décrits ultérieurement comme des fluides sans pesanteur.

Dès le xve siècle, l'alchimie connut une véritable expansion. La connaissance n'était plus l'apanage de quelques-uns. On trouvait dans toutes les couches de la société aussi bien des charlatans que de fidèles disciples de la tradition. Le plus grand peut-être de ce traditionalistes, tant par la quantité que par la qualité de ses ouvrages, fut George Ripley, qui était un homme riche et de bonne famille et un chanoine de l'Ordre des Augustins. Ayant fait des études fort poussées à Louvain, à Rome et dans l'île de Rhodes, il s'était acquis la réputation d'un érudit versé dans les sciences et particulièrement dans l'art alchimique. Les Chevaliers de Saint-Jean-de-Jérusalem lui prodiguèrent leurs encouragements et le mirent à même de poursuivre ses travaux. Il les en remercia en faisant de nombreux dons à leur Ordre. A Bridlington, dans le Yorkshire, où dès 1471 il se fixa dans un monastère, il continua ses expériences alchimiques, considéré par les moines comme un véritable fléau, même à cette époque qui ne brillait pas par l'hygiène, tant était grande la puanteur des composts dont il usait. Il était surtout connu pour ses écrits en anglais et pour son magnifique pouvoir d'imagination picturale. Le processus alchimique devint le véhicule d'une poésie où les figures traditionnelles du Roi et de la Reine, du Lion vert, du Dragon rouge, de la Rose, et de bien d'autres encore, sont représentées dans une succession de tableaux illustrant les différentes étapes du processus jusqu'à l'apparition du Phénix. Il existait de nombreux exemplaires manuscrits de ses œuvres qui ne tardèrent pas, grâce aux progrès de l'imprimerie, à être largement diffusées. Les exquis *Ripley Scrowles* tirés de sa collection de documents se trouvent au British Museum.

Ripley mit son talent d'illustrateur et de poète au service de la mystique. Rien dans ses œuvres ne nous permet d'affirmer qu'il ait réellement fabriqué de l'or mais nous y découvrons de précieuses indications sur la nature des songes et les figures traditionnelles qui emplissaient l'âme de l'alchimiste cultivé de l'époque. Il ne nous entraîne pas dans la vulgaire officine du souffleur bien qu'il se soit lui-même voué à des expériences qu'il a longuement décrites. Mais là où il se révèle inégalable, c'est dans son interprétation des différentes phases de l'Œuvre représentée comme un drame dont les scènes successives illustrent les mystérieux processus de la nature par lesquels substances diversifiées ou unifiées partant de corps simples, combinées, puis à nouveau séparées, aboutissent à la création de cette merveille qu'est le Phénix, ou Pierre, ou Elixir. Ce Phénix possède le divin pouvoir de transmuter un métal vil en cette perfection qu'est l'or. Ripley ne fit, dans ses travaux, que suivre les traces des grands alchimistes du passé et n'innova guère. Sa réelle contribution à l'alchimie fut l'excellente description qu'il fit du processus par de symboliques illustrations dont le sens était suffisamment voilé pour échapper au regard du commun. Il ne semble pas avoir eu conscience du conflit qui opposait la tradition alchimique aux conceptions orthodoxes de la chrétienté. S'il y a dans son enseignement des traces de manichéisme, ce ne sont pour lui que des représentations picturales de concepts religieux. Lorsqu'il déclare que Ténèbres et Lumière forment une Unité se manifestant sous deux aspects, il ne paraît pas se rendre compte qu'il va un peu au-delà du *Livre de Job*.

Avec Ripley prend fin la période médiévale. Les traditions sont désormais acceptées, les visions, reconnues ; et c'est pourquoi l'interprétation qu'en ont donnée les maîtres dans le passé est strictement observée. Les alchimistes devaient, dans les périodes qui suivirent, se poser davantage de questions, et ne plus trouver, pour y travailler en paix, des havres tels que le monastère de Bridlington. Ripley s'était servi avec un rare talent de matériaux traditionnels. On distingue clairement dans son œuvre l'influence du classicisme de la Renaissance. Ce classicisme l'incita, non à faire de nouvelles découvertes, mais à observer une magnifique tradition d'où, dès le début, tout avait découlé. On retrouve chez lui cette croyance typiquement ambivalente en la résurgence d'un classicisme païen. Sa conception était purement romantique et c'est pourquoi ses gracieuses allégories ne sont nullement une offense à la liturgie chrétienne de l'époque, dans toute sa beauté et toute sa pompe.

Dans son œuvre alchimique, Ripley s'appliqua tout spécialement à observer les changements de couleurs s'effectuant au cours du processus. A l'apparition d'une séquence donnée correspondait un stade donné dudit processus. Son observation était aussi précise que celle de l'armurier trempant la lame d'une épée dans des bains successifs. Et chacune des phases du processus lui suggérait une image poétique. C'était là une sorte de méditation, et cependant Ripley et ses contemporains semblent n'y avoir vu qu'un acte se jouant devant eux. Tout cela reste pour nous assez obscur. Notre attachement prosaïque à des faits tangibles nous incite à parler du mercure métallique et non d'un Loup gris dévorant le Soleil, symbole de l'or. Là où l'alchimiste voyait un drame, nous ne voyons, nous, que s'effectuer un alliage. Le Dragon vert est pour nous tout simplement l'*aqua fortis,* un acide si mordant qu'il peut même dissoudre l'or. L'alchimiste s'attachait bien plus à traduire en termes picturaux l'opération qui se déroulait sous ses yeux qu'à en faire une simple description. Il est vrai qu'il lui fallait rester volontairement mystérieux et obscur afin que le grand secret ne fût pas révélé à ceux qui n'en étaient pas dignes. Cependant, il ne lui déplaisait pas de décrire le processus dans son entier sous· forme d'un mythe pictural. Il est hors de doute que la plupart des figures étaient des archétypes communs à l'humanité tout entière. Ils apparaissent en rêve, dans les périodes de tension, à la plupart d'entre nous. L'alchimiste voyait dans ses visions quelque chose de totalement différent de ses songes, alors que pour nous ils sont étroitement liés. Seul le jeune étudiant voyant pour la première fois le mercure s'amalgamer à l'or est susceptible de voir se dérouler, en rêve, sous une forme ou une autre, cette opération. Pour l'alchimiste, l'ensemble du processus constituait un mythe vivant qui visait à purifier aussi bien l'expérimentateur que la lourde, grise et morne *materia prima,* encore indifférenciée, sur laquelle il travaillait.

Il nous faut une fois de plus garder présent à l'esprit que l'alchimiste n'était que très rarement un véritable savant. Que l'alchimie puisait ses origines dans la magie, aussi bien dans les croyances des grands prêtres de l'Egypte antique que dans la logique grecque. C'est ainsi qu'à la fin du XVe siècle et à l'aube d'une ère nouvelle, l'alchimie devait devenir de plus en plus philosophique et s'éloigner toujours davantage de la métallurgie scientifique au développement strictement rationnel.

CHAPITRE VII

Albification

AU XVᵉ siècle, alors que l'alchimie semblait fermement établie et ses doctrines acceptées, une puissante évolution politique et sociale ébranla l'ancien mode de vie, et de nouveaux rapports se créèrent entre l'alchimiste et le public. Dans un monde lui-même en crises perpétuelles, le XVᵉ siècle se distingua, en Europe, par la force et le caractère de ses révolutions. L'équilibre des puissances politiques fut rompu par l'afflux des biens matériels en provenance des Indes. Les liens qui unissaient les communautés furent brusquement rompus. Dire à quel point les progrès de l'imprimerie contribuèrent à la propagation de la culture est un lieu commun. En Europe, le cloisonnement entre nations se fit plus fort. La violence de la Réforme, puis de la Contre-Réforme, la toute-puissance des souverains et des militaires ne furent que les manifestations extérieures d'une profonde crise psychologique. Le côté, jusque-là resté dans l'ombre, de la culture européenne, se fit jour et le sentiment triompha de la raison. Cependant cette éclipse des valeurs culturelles s'accompagna d'un indiscutable progrès sur le plan social. Ces valeurs culturelles se cristallisèrent autour de quelques grandes figures qui jetèrent les bases d'une nouvelle société. Quant aux alchimistes, aussi bien les souffleurs que les philosophes, il leur fallut compter désormais sur le soutien des princes plutôt que sur la sécurité des cloîtres.

Résultat de tous ces bouleversements, l'alchimie parvint enfin à l'âge adulte. Pour justifier ses travaux, l'alchimiste dut non seulement en appeler à la tradition, mais obtenir des résultats tangibles. Il lui fallut acquérir une plus vaste culture afin d'étayer par des données scientifiques les propositions qu'il avançait dans ses écrits. S'il se montrait prudent, le philosophe alchimiste n'avait pas à redouter les persécutions. Il se conformait généralement aux opinions prévalant à la cour des princes, et qui d'ailleurs ne le concernaient que fort peu. On voyait en ses œuvres une exploration des forces de la nature. Il était rare qu'on le traitât de nécromant ou de sorcier. L'image générale qui se dégage des très nombreux ouvrages qui traitaient de ce sujet est celle d'un homme cultivé occupant un certain rang social et recherchant en toute humilité la secrète connaissance. Cependant l'alchimiste pouvait également être un habile charlatan, et nombreux étaient ceux qui, ignorant le philosophe cultivé, ne voyaient que l'homme bien décidé à monnayer ses secrets au moyen des pires filouteries. Ces deux aspects sont réunis dans la légende de Faust, mais pour le public le philosophe cultivé était un savant qu'il traitait avec un respect mêlé de crainte. Quant aux souffleurs, ils étaient une source d'amusement pour ceux qui se moquaient de leurs ruineux enthousiasmes, et de mépris pour ceux qui, au courant de leurs escroqueries, voyaient en eux de véritables criminels.

L'alchimiste digne de ce nom dut donc adopter un comportement des plus circonspects vis-à-vis du public, et cela non seulement pendant la période troublée du début

Faust. Tableau de De Coninck. 1901.

du siècle. Il avait d'ailleurs tendance à dissimuler. Un double danger le menaçait : des gens incultes pouvaient voir en lui un sorcier et lui mener la vie dure, sinon même l'assaillir ; ou encore le prince, persuadé qu'il possédait le secret lui permettant de fabriquer de l'or, pouvait l'emprisonner, et même le torturer pour lui arracher son secret. Rares furent les alchimistes qui menèrent une vie normale et heureuse. Et cependant, telle était la fascination qu'exerçait sur eux l'alchimie qu'ils n'en continuaient pas moins leurs travaux.

Cette fascination était avant tout d'ordre psychologique. L'alchimiste voyait se refléter dans ses fourneaux et alambics le processus de la création. Du moins c'était là ce qu'il croyait. Il accompagnait ses expérienes de lectures d'œuvres d'anciens alchimistes, et de méditations. Il y puisait une nouvelle mythologie qui, bien que chrétienne en apparence, contenait nombre de doctrines que les Pères de l'Eglise, en une époque antérieure, eussent qualifiée de gnostique ou de manichéenne. Jung a démontré que cette mythologie était, en grande partie, une projection vers l'extérieur du contenu de l'inconscient. En réalité, l'alchimiste se complaisait à de véritables rêves éveillés. Le schéma de ses expériences était celui des rêves et visions que nous sommes susceptibles de faire, ou d'avoir, au cours d'une vie parfaitement normale, lorsque certaines crises marquant les étapes de notre évolution libèrent des aspects de notre personnalité qui nous étaient jusque-là inconnus. L'alchimiste était en somme un homme normal et sa mythologie était basée sur des idées liées à ses expériences. Cela nous a valu quelques-uns des manuscrits et ouvrages les plus magnifiquement illustrés qu'on puisse voir, et ceci particulièrement aux XVIe et XVIIe siècles, alors qu'au pouvoir ecclésiastique succédait le pouvoir séculier. Cependant, c'est à une époque ultérieure que nous apparaîtra l'importance

Hermaphrodite couronné entre les arbres du Soleil et de la Lune.
XVIIᵉ siècle.

de la sexualité dans la philosophie. Mais au début, bien
que le symbolisme sexuel se devinât aisément dans les
illustrations, il n'en demeura pas moins voilé. Il semble
que les érudits aient éprouvé quelque difficulté à affronter
l'image féminine de l'*anima,* symbolisée par le *Soufre* et
la Lune qui, conjugués, n'étaient autres que le changeant
Mercure hermaphrodite.

Nous comprenons maintenant que si impérieux était le

mystère que projetait l'alchimiste dans son œuvre qu'il ne pouvait y renoncer sans un véritable déchirement. L'homme ne peut prendre totalement ou même partiellement conscience de son moi sans que son attitude envers la vie en soit profondément transformée. Il nous faut considérer l'ego dont nous n'avons qu'une conscience limitée comme une faible part de nous-même, mais aussi la seule qui puisse être clairement définie. Si l'alchimiste parvenait à une plus grande unité de sa personnalité, c'est qu'il obéissait à une tradition et à un mythe communs à tous les êtres. Il possédait la secrète connaissance, sans toutefois comprendre que c'est dans son âme même que se produisait une spectaculaire évolution. Il ne pouvait pas exercer sur elle plus de contrôle que nous ne le pouvons sur les rêves d'angoisse que nous connaissons au cours de notre vie.

Il se produisit au cours des siècles, de la chute de l'Empire romain à la Réforme, une lente évolution des cultes anciens, tout de mystère, à une nouvelle mythologie. Seuls subsistèrent du culte originel l'attachement aux démonstrations effectuées dans le laboratoire, et le principe de la régénération des métaux. La nouvelle mythologie puisait ses racines au plus profond de l'être humain, et nous en trouvons des échos aussi bien dans les mythes scandinaves que dans les légendes de l'Antiquité. Les alchimistes revêtirent leurs visions intérieures des chatoyants costumes de la Renaissance et se divisèrent en deux clans, ceux qui cherchaient uniquement à fabriquer de l'or, et ceux qui aspiraient à régénérer l'âme du monde. Mais ces derniers n'étaient guère nombreux en dépit des ouvrages qu'ils publièrent en masse et qui, fort obscurs, prêtaient à confusion.

C'est dans l'*Ordinaire d'Alchimie* de Thomas Norton, dont de nombreuses et excellentes copies sont parvenues jusqu'à nous, que l'alchimie est traitée sous l'angle le plus scientifique. Norton nourrissait l'absolue conviction qu'il était possible de produire la Pierre philosophale à condition d'y consacrer plusieurs années et d'être secondé par une équipe de quatre artisans. Pour faciliter son œuvre, Norton construisit lui-même un fourneau perfectionné qui lui permit, quoique pourvu d'un foyer unique, d'élever ou d'abaisser à son gré la température dans un certain nombre de « chambres ». Il affirma avoir découvert la Pierre. A en croire la rumeur locale, il fabriqua de l'or pour financer la reconstruction de St-Mary-Redcliffe, à Bristol, dont il aurait été le maire. Cependant il ne cessa de répéter que la Pierre était un don dispensé par Dieu à ceux qui suivaient la véritable voie alchimique. Le pouvoir de découvrir cette substance miraculeuse n'était accordé qu'à ceux qui y étaient préparés, non à des êtres assoiffés de richesses, mais bien au contraire à des hommes sobres et sereins, riches de connaissances, mais pénétrés de leur peu d'importance. La connaissance leur permettait d'affronter l'adversité d'une âme égale, et de suivre la voie menant à la sérénité. On pouvait, il était vrai, fabriquer de l'or grâce à la connaissance, mais restreint était le nombre de ceux qui la possédaient ; ils en usaient d'ailleurs rarement, et uniquement dans un dessein louable.

Cependant, la certitude qu'avait Norton de pouvoir fabriquer la Pierre par des moyens chimiques fut un argument dont se servirent ceux qui lui succédèrent. Ses mises en garde à ceux qui ne recherchaient que de vaines richesses ne furent pas entendues ; et seuls furent retenus son laborieux processus et le dur travail qui menait à la transmutation. Nombre d'expérimentateurs crurent alléger leur tâche en employant d'autres substances, chargées elles aussi d'une signification philosophique, mais ceci sans succès. Appliquer à la chimie un rayonnement philosophique menait fatalement à un échec, car cela consistait à traiter

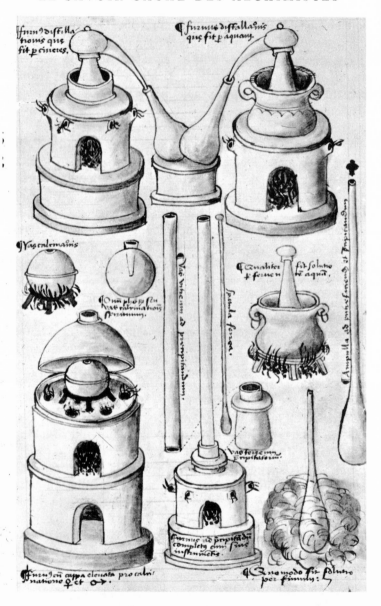

Alambics et instruments d'alchimie. Manuscrit du XVIᵉ siècle.

les substances d'un point de vue mythologique, et non par de scientifiques dosages et classifications. Il arriva même que l'alchimiste, ayant découvert le secret, perdît ensuite la connaissance. Peut-être doit-on attribuer cet avatar à la trop grande jeunesse de l'expérimentateur lors de sa première découverte.

Thomas Charnock, alchimiste anglais, nous offre l'exemple type de cette perte de la connaissance. C'est auprès d'un maître, à Salisbury, qu'il s'initia à son art. Le maître mourut en 1554 et Charnock poursuivit ses travaux jusqu'au jour où le feu éclatant dans son laboratoire détruisit tous ses appareils. Ses manuscrits lui manquant et sa mémoire lui faisant défaut, l'alchimiste ne put continuer ses recherches. Circonstance heureuse pour lui, le père abbé de Bath, démis de ses fonctions, fut en mesure de lui réapprendre son art. William Howley, un très vieil homme, un aveugle, avait une suffisante connaissance du secret pour remettre Charnock sur la bonne voie. Malheureusement, des événements politiques l'obligeant à prendre les armes interrompirent une fois de plus ses travaux, et avant d'aller faire la guerre à l'étranger, il brisa tous ses appareils. Mais cette fois, il avait pris soin de rédiger, sur un long rouleau de parchemin, un traité qui ne fut retrouvé qu'un siècle plus tard, à l'endroit où il l'avait muré, dans sa demeure. Vers la fin de sa vie, Charnock reprit ses travaux et, en 1579, affirma avoir obtenu la Pierre. Mais auparavant il avait écrit nombre d'ouvrages alchimiques, et en 1566, il avait fait l'hommage de l'un d'eux à la reine Elisabeth Ire. Cependant Charnock ne divulgua jamais aucun processus applicable de la transmutation chimique, ou physique, pas plus qu'il ne profita de ses connaissances pour s'enrichir. Il détournait ses disciples de chercher à fabriquer de l'or à leur propre bénéfice et alla même jusqu'à refuser de donner des directives dont il aurait lui-même tiré profit. Tout semble indiquer qu'il avait atteint à cette paix de l'âme, à cette sérénité plus précieuses que l'or matériel.

Paracelse commença d'exercer et d'enseigner la médecine au début du XVIe siècle. S'intéressant particulièrement à la chimie et aux possibilités qu'elle offrait, il créa tout un système de médication chimique. Il ne fait aucun doute que cet homme de génie, brillant, ivrogne, querelleur, bouillonnait d'idées neuves d'une grande valeur. Il englobait dans l'alchimie toutes les réactions chimiques connues à l'époque. Du point de vue médical, il visait à rétablir l'équilibre chimique chez l'individu et dans ses organes internes. Ce qu'il exprimait dans une langue bien à lui était en somme une méthode ayant pour but de faire de l'individu un tout. Il émettait un axiome psychologique en termes chimiques. Paracelse, qui s'était donné lui-même ce surnom, fut un alchimiste à l'esprit indépendant qui ne chercha nullement à obtenir la Pierre, mais usa de ses connaissances pour fabriquer des élixirs qui prolongeaient la vie de ses patients. Moderne par ses conceptions, même s'il les exprimait avec extravagance, il brûla sa courte vie, laissant derrière lui des ouvrages et des idées qui marquèrent de leur sceau le côté chimique de l'alchimie. La philosophie mystique n'en disparut pas pour autant, mais se dissocia de plus en plus du processus expérimental. Grâce à Paracelse, il fut désormais possible de projeter le processus psychologique alchimique dans le contexte plus général de la structure du monde physique.

L'alchimiste avait désormais la certitude de se libérer, lentement il est vrai, du carcan de la science traditionnelle. Il allait s'attacher à découvrir de nouvelles médications, et à acquérir une nouvelle connaissance du monde physique. La méthode empirique qui consistait à faire des expériences amenant à des découvertes, plutôt que de se livrer à la

ALTERIVS NON SIT QVI SVVS ESSE POTEST·

Paracelse enseignant
la dissection.
Gravure de 1565.

Paracelse.
Gravure du XVIe siècle.

sempiternelle répétition d'un processus donné, allait s'imposer de plus en plus au cours des deux siècles qui suivirent. Il nous apparaît, du point de vue actuel, que c'était là une évolution nécessaire. L'humanité n'aurait pu progresser, ni sur un plan matériel ni sur le plan spirituel, si elle n'avait pas acquis une plus grande connaissance des processus du monde physique. Les recherches se déroulèrent dès lors dans un esprit scientifique à la fois puissant et fécond qui donna des résultats que n'auraient pu imaginer les penseurs de l'Antiquité. Il est normal que l'on ait abouti ainsi à un extrême matérialisme et à un déclin de la spiritualité, car tout processus poussé à la limite de ses possibilités atteint à un sommet nu et désolé. Aujourd'hui cependant, nous commençons de redécouvrir les mystères du comportement de la matière, et tout spécialement de ses particules infinitésimales qui nous permettent d'envisager la possibilité que la matière soit, dans son essence, non matérielle. Nous sommes donc sur le seuil d'une illumination qui dotera l'humanité de cette connaissance tant recherchée par les alchimistes, mais sous une forme qu'eux-mêmes n'auraient pu saisir. Cependant, en les suivant en cette période de richesse sur le plan philosophique, et de déclin sur le plan matériel, nous découvrirons qu'il en valait la peine.

Aux nouvelles tendances de l'alchimie vint s'ajouter un élément magique. L'alchimiste voyage désormais dans un carrosse attelé de quatre chevaux et où il dissimule une réserve de poudre rouge. Cette poudre, il ne l'a pas préparée lui-même, mais reçue de quelque sage et grand maître versé dans l'art hermétique. Il en fait usage devant des nobles et des princes. Lorsqu'il la verse, dans un creuset, sur du plomb en fusion ou du vif-argent purifié, le métal se transforme immédiatement en argent ou en or, mais le plus souvent en or. Cet alchimiste, en général un homme

Splendor Solis, *manuscrit de Salomon Trismosin. XVIᵉ siècle.*

sobre et studieux, voyage en grande pompe. Il connaît parfois le bonheur de se retirer, retombé dans l'oubli, dans son petit domaine, mais le plus souvent quelque prince se saisit de lui, le jette dans une prison d'où finalement il parviendra à s'échapper pour mourir peu après. Un tel récit nous est fait à de si nombreuses reprises, et avec si peu de variantes, que nous finissons par y voir un mythe projeté dans la vie réelle. La dernière de ces victimes semble avoir été l'infortuné comte de Saint-Germain (voir chap. IX).

Parmi les alchimistes philosophes, plusieurs émirent des théories qui donnèrent naissance à un art mystique s'exprimant par des visions et des symboles. Fidèles à la tradition, ces philosophes étaient de ce fait moins hermétiques. Cependant, ils créèrent une nouvelle ligne de pensée qui s'exprima par un certain mode de vie et une recherche de vérités spirituelles ; mais il faut reconnaître qu'il y avait parmi eux de bien curieux personnages.

Un des premiers alchimistes philosophes de la post-Réforme fut le docteur John Dee. Il n'accorda cependant qu'une importance relative à l'œuvre alchimique, son véritable domaine étant l'occultisme. Ce magicien, véritable Prospero, passait cependant, à Barnes, aux yeux des enfants du voisinage, pour un redoutable sorcier. S'il s'intéressa à l'alchimie, ce fut grâce à Edward Kelly qui mérite plus d'attention qu'on ne lui en accorde généralement. Parce que, pour quelque méfait de jeunesse, il avait eu les oreilles coupées, il passa aux yeux de la postérité pour un charlatan et un escroc. Comment un tel homme parvint-il à inspirer confiance à John Dee, ce savant mathématicien et astrologue, familier de la reine Elisabeth Ire, cela nous ne le saurons jamais. Il faut croire que Kelly et lui avaient des points communs et qu'ils étaient tous deux réalistes. Kelly était à la fois un voyant et un visionnaire. Ainsi la vision qu'il eut d'une imprenable forteresse, dont l'image nous

Première clef de Basile Valentin : Practica una cum duodecim clavibus.
Le Roi et la Reine entre la mort et l'animalité.

est parvenue, gravée sur une coupe d'or conservée au British Museum, est bien celle d'un homme conscient de la solidité intérieure de son moi profond. C'est là un symbole d'unité sur la voie de l'intégration. Il y a également un contenu psychologique dans la décision que prirent d'un commun accord Dee et Kelly de partager leurs épouses, façon pour eux d'exprimer leur concept de l'*anima*. Peut-être appliquaient-ils ainsi la doctrine alchimique de la *Soror mystica* qui fut sans doute à l'origine de ce curieux partage. S'ils lui accordaient une importante signification sur le plan psychologique, cet accord ne leur apporta pas moins, sur le plan émotionnel, de graves ennuis.

Il convient de noter que ces événements se déroulèrent alors que leurs expériences alchimiques tiraient à leur fin. En effet, Dee et Kelly avaient œuvré sans remporter le moindre succès de 1583 à 1587. Partis pour Cracovie en compagnie du comte Albert Laski, ils s'arrêtèrent à Prague pour rendre visite, en son château, à Rodolphe II. Ce fut l'empereur qui les encouragea à poursuivre leur voyage jusqu'en Pologne. Cependant ce souverain s'intéressait à l'occultisme, et ce fut peut-être par son entremise que les deux voyageurs se procurèrent un miroir noir mexicain qui figura par la suite parmi les appareils de Dee et se trouve aujourd'hui encore en Angleterre. Il semble que l'empereur

Prague. Gravure de 1493.

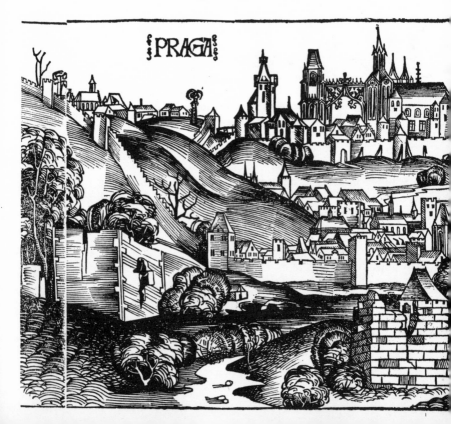

ait entretenu avec John Dee les rapports amicaux que peuvent avoir deux lettrés. Pour ce qui est de Kelly, il en alla tout autrement. Lors de son deuxième voyage à Prague, il fut emprisonné sur l'ordre de l'empereur, relâché, repris, et il mourut au cours d'une tentative d'évasion. Ce fut donc, si l'on veut, un martyr de l'art alchimique, mais il ne consacra pas sa vie à la recherche de la Pierre (ou plus exactement de la poudre rouge).

Kelly proclamait avoir découvert la poudre rouge grâce à une illumination qui le conduisit à Glastonbury où il trouva un dépôt de cette miraculeuse substance. Il lui fut révélé qu'elle avait été dissimulée en un lieu secret par

saint Dunstan, et qu'elle était restée intouchée pendant les quelque six siècles qui précédèrent la découverte qu'en fit Kelly. Un métal transmuté à l'aide de cette poudre n'augmentait pas de poids et parfois même en perdait un peu. Kelly changea en or un morceau de cuivre découpé dans une bassinoire, et envoya bassinoire et morceau d'or à la reine Elisabeth Ire. La chose est peut-être vraie, et peut-être ne l'est-elle pas. Finalement, sur dénonciation des autorités pontificales, Kelly fut jeté en prison, ce qui laisse à penser qu'il était soupçonné d'hérésie. Cependant, dans ses traités d'alchimie, on ne trouve que fort peu d'indications ayant une valeur pratique, mais toujours les mêmes théories exposées toutefois avec clarté et intelligence. On peut se demander si Kelly entra en possession de la poudre rouge par une sorte de prescience et s'il n'était pas, après tout, plus sincère qu'on ne le crut à l'époque. Il est hors de doute que l'alchimie traditionnelle, telle que la pratiquèrent Kelly et Dee, ne donna aucun résultat, car ni l'un ni l'autre ne se vantèrent d'avoir fabriqué la Pierre philosophale. Ils l'obtinrent par des moyens occultes et l'employèrent selon les plus pures traditions de l'occultisme.

John Dee était avant tout un mathématicien et un philosophe ; Kelly, lui, fut un médium doué d'un pouvoir considérable.

Parce que tous deux pratiquaient l'alchimie, ils se virent chargés d'une mission d'un caractère secrètement diplomatique. Rien de surprenant alors que cette mission les ait menés directement à Prague. Rodolphe II de Habsbourg qui s'adonnait aux recherches alchimiques et magiques en était à ce point fasciné qu'il négligeait nombre de ses devoirs au profit de la secrète connaissance.

Au XVIe siècle, un érudit était toujours assuré de trouver à Prague le meilleur des accueils. Le fait que l'empereur, qui y résidait, était non seulement un souverain régnant, mais un occultiste connu.dans l'Europe tout entière, attirait nombre de magiciens, de philosophes et d'alchimistes. Ces derniers possédaient même à Prague leur propre rue. (On peut aujourd'hui encore visiter nombre de laboratoires et officines de l'époque qui font de cette rue un véritable musée.) Bien des expériences y furent tentées, non toujours dépourvues de succès, à en croire les récits les plus dignes de foi. Mais bien des alchimistes, convaincus de charlatanisme, furent emprisonnés selon le bon plaisir de l'empereur dont les décisions paraissent si arbitraires qu'on est en droit de se demander s'il était sain d'esprit. Le conflit qui opposait en lui le pouvoir impérial aux enseignements pleins de sagesse de ses philosophes favoris nous le montre comme un être déchiré entre des tendances contradictoires.

Si telle était l'atmosphère à la cour, la ville même de Prague était le théâtre d'affrontements religieux d'une telle violence qu'ils furent à l'origine de la terrible guerre de Trente Ans. A l'est, les Turcs consolidaient leur pouvoir. Nul ne pouvait échapper aux angoisses du temps. Les Turcs il est vrai, bien que vainqueurs sur le champ de bataille, souscrivirent à des conditions qui déliaient les Habsbourg du tribut qu'ils versaient pour une partie de la Hongrie ; mais cette frontière n'en resta pas moins un point de friction et de litige. L'équilibre des forces laissa l'Europe divisée, religieusement parlant, en trois camps distincts... l'Islamisme, le Protestantisme et le Catholicisme affrontant un avenir incertain dans un monde à prédominance politique.

Les philosophes, eux aussi, connurent des temps troublés. En France, après les affreux massacres de Huguenots, on voyait poindre l'Age de la raison et de la tolérance. Dans les Etats germaniques, les luttes religieuses faisaient régner la terreur. Tout était remis en question. C'est sans doute l'Allemand Khunrat qui, par son œuvre, apporta la plus importante contribution à la philosophie du temps.

En cette période de lutte et d'insécurité, il traita de l'alchimie sous l'angle philosophique. Son livre, *Amphitheatrum Sapientiae,* publié à Magdebourg en 1602, s'ouvre par une série de planches qui illustrent sa pensée. Elles vont de la roche où est gravé le texte de la *Tabula Smaragdina* jusqu'au lieu où les philosophes, s'étant baignés dans les eaux de la vérité, mettent en déroute le Démon et ses acolytes, le Mensonge et la Luxure. On voit ensuite le Sage s'engager sur la voie qui mène à la connaissance, voie ascendante qui le conduit jusqu'à une obscure caverne d'où l'on aperçoit une lointaine lumière. S'y dirigeant, il arrive à la forteresse intérieure, citadelle à sept pans où l'adepte pénètre, par la porte étroite des bonnes actions, dans le lieu où brillent le soleil et la lune et où, au pied de la montagne de Dieu, jaillit le feu.

L'alchimie dans son ensemble allait prendre un nouveau tournant. A la projection, cette opération chimique, allaient succéder des spéculations théoriques menant à la connaissance de l'âme dans sa relation avec Dieu. Cependant, avant d'en arriver là, bien d'autres approches furent encore tentées, et ce sont elles que nous allons étudier, telles qu'elles se manifestèrent au cours du XVIIe siècle.

CHAPITRE VIII

Solidification

L E XVIIe siècle fut, en Europe, une ère de troubles et de bouleversements. L'Europe orientale reprenait conscience d'elle-même tandis que la domination turque allait s'affaiblissant. L'Europe centrale subissait les horreurs de la guerre de Trente Ans ; de nouveaux Etats accédaient au rang de grandes puissances. La France fut le théâtre de luttes et affrontements tout comme la Grande-Bretagne, qui déchirée par la guerre civile, se livra en Irlande à d'atroces massacres. L'occultisme fleurit en ces temps troublés où les hommes vivaient dans la crainte et aspiraient à connaître l'avenir. Les rois faisaient appel aux alchimistes capables de fabriquer pour eux de l'or, et certains, semble-t-il, y réussirent. Mais à cette époque si sombre allaient peu à peu succéder des temps plus heureux. L'évolution de l'alchimie, déjà perceptible au siècle précédent, s'intensifia en raison même de celle de la société.

Mais avant d'aller plus loin il convient de rappeler que l'alchimie ne fut jamais un art isolé. Occultisme et magie fleurissaient. Par ces termes on comprenait aussi bien la prédiction de l'avenir par simple divination que des doctrines religieuses ésotériques, celles des Anabaptistes entre autres. Certaines de ces doctrines avaient des bases plus ou moins philosophiques. Au fond des campagnes, on trouvait des sorciers tout imbus du culte de la nature ; ils n'avaient rien de commun avec les nécromanciens qui, pour répondre aux questions de leurs clients, invoquaient l'esprit des morts. Astrologues et voyants étaient sollicités de toutes parts et donnaient parfois aux princes d'utiles conseils. Ainsi l'alchimiste ne représentait nullement un phénomène isolé. L'Etat voyait en lui un éventuel pourvoyeur d'un or acquis à moindres frais. Sur le plan spirituel, il dispensait son enseignement, donnait de la Bible sa propre interprétation, était souvent soupçonné de secrète et dangereuse hérésie. La vie n'était pas chose aisée pour de tels hommes. Seuls les plus forts triomphaient de l'adversité. Les souffleurs étaient d'avance voués à l'échec, et les simples charlatans ne tardaient pas à disparaître de la scène. Certains souffleurs, cependant, devinrent de remarquables chimistes, mais c'était là l'exception. Quant aux philosophes, ils abandonnèrent de plus en plus la chimie au bénéfice de la théorie.

L'alchimiste médiéval était sorti de sa cellule, laissant derrière lui des traités utiles à ses successeurs, mais la manière dont ils en usaient l'aurait fort étonné. Les véritables alchimistes philosophes ne voyaient en eux que des textes allégoriques, et s'ils procédaient à des expériences en obéissant à un rite, la plupart d'entre eux ne voyaient dans l'œuvre que l'illustration d'une théorie. Cependant, ils se livrèrent à d'intéressantes recherches expérimentales et rendirent les mystères un peu moins obscurs. Et parce qu'ils abordaient leurs études dans un esprit plus rationnel, ils classifièrent substances et apparences dans un contexte où lions, dragons et colombes ne jouaient plus qu'un rôle poétique. C'était là le genre d'ouvrages magnifiquement illustrés que l'on imprimait et lançait ensuite sur le marché. Les secrets y étaient-ils trop largement dévoilés ? Il ne le semble pas. Ce n'était plus tout à fait les secrets d'époques antérieures et ceux qui possédaient le privilège de savoir lire avaient ainsi à leur disposition un large éventail de littérature occulte, raison supplémentaire de publier les ouvrages alchimiques les plus sérieux.

Les lettrés qui au début du siècle prodiguèrent leurs encouragements aux alchimistes avaient foi en la philosophie exprimée dans les livres mis à leur disposition. Ils entretenaient des rapports avec nombre de praticiens de l'art alchimique presque tous bénéficiaires de quelque adepte qui lui-même avait reçu ou fabriqué la Pierre philosophale. Un de ces ouvrages relate les expériences de Sendivogius qui, possédant une petite quantité de poudre rouge, se révéla incapable de la reproduire, quelle que fût la méthode dont il usât. Cette poudre lui avait été donnée par Alexander Seton, alchimiste écossais du début du siècle. Comment Seton avait lui-même découvert cette poudre, cela nous l'ignorons ; il déclara simplement avoir été envoyé sur terre pour démontrer la justesse des théories alchimiques. Il avait à plusieurs reprises effectué en public, et devant des spécialistes, des transmutations, changeant un lingot de plomb en son poids égal d'or. Il eut toujours l'habileté de disparaître après chacune de ces démonstrations, puis de reparaître, de façon mystérieuse, en un autre endroit. Finalement, Christian II, Electeur de Saxe, s'empara de lui et le fit torturer pour lui arracher son secret. Il fut sauvé par Sendivogius, gentilhomme morave qui soudoya ses geôliers. Seton mourut peu après, de ses blessures, léguant un peu de la précieuse poudre à Sendivogius.

Au début, Sendivogius échoua lamentablement, et il eut beau suivre les directives de la veuve de Seton, il n'accomplit que peu de progrès. Mais un beau jour il découvrit enfin comment utiliser avec résultat la poudre de Seton. Il effectua devant témoins quelques transmutations et connut la célébrité. Il se rendit alors à Prague, à la demande de l'empereur Rodolphe II. Ce souverain avait vu défiler tant de charlatans qu'il exigea que l'expérience fût effectuée devant lui. Sendivogius courut sans doute le risque de passer le reste de ses jours dans un donjon, mais il eut l'audace de demander à l'empereur d'exécuter lui-même, en suivant ses directives, cette expérience, qui réussit au-delà de tous ses espoirs. Sur quoi Sendivogius se vit attribuer une fonction à la cour où il effectua pour l'empereur plusieurs autres transmutations. Mais il devait être de l'étoffe du véritable alchimiste, car il n'en tira point orgueil et, dénué de toute cupidité, ne sollicita aucune faveur. Par la suite, au cours d'un voyage, il fut reçu par le duc de Wurtemberg. Le bruit courant que le duc se préparait à le faire arrêter, puis torturer, l'alchimiste prit la fuite. On soupçonne le duc d'avoir lui-même fait courir ce bruit, et chargé son barbier, un Souabe, de se porter au secours de Sendivogius. Celui-ci récompensa le barbier, mais s'aperçut que la précieuse poudre dissimulée dans une cachette qu'il croyait sûre lui avait été dérobée ainsi que tous ses biens.

Ni le barbier qui s'était donné tant de peine pour convaincre Sendivogius qu'il courait le danger d'être arrêté puis torturé, ni le duc lui-même ne semblent avoir tiré profit de ce complot. Sendivogius en appela à l'empereur qui ordonna que ses biens lui fussent rendus, mais la poudre ne fut jamais retrouvée. Le duc, pour se blanchir, fit pendre le barbier. Les Souabes, selon leur coutume, mirent cette histoire en chanson, et continuèrent de vivre sous le règne d'un duc auquel il ne semble pas que ses noirs desseins aient rapporté de l'or alchimique.

SOLIDIFICATION

La première distillation offerte à Luna. Gravure du XVIIIe siècle.

Sendivogius qui, démuni de poudre, ne pouvait plus effectuer de transmutation, était également incapable d'en fabriquer. Il reprit sa vie errante et l'on retrouve sa trace, quelques années plus tard, en Pologne, où s'étant institué guérisseur, il vendait des médecines et mourut dans la misère.

Il semble que cette poudre miraculeuse n'ait eu de vertus qu'entre les mains d'un adepte, car l'empereur était tout aussi habile qu'un Seton ou qu'un Sendivogius. Cependant les alchimistes souabes ne semblent avoir tiré aucun profit de la poudre de transmutation qu'ils avaient dérobée. Toute cette affaire ne fut peut-être qu'une supercherie semblable à celle qu'avait décrite Chaucer deux siècles plus tôt ; et pourtant l'or alchimique ainsi obtenu fut contrôlé par des orfèvres, et la transmutation effectuée par un empereur expérimenté, versé dans les sciences de son époque ; il avait fait emprisonner, puis torturer tant de charlatans que nous pouvons en déduire qu'en comblant d'honneurs Sendivogius, il couronnait le succès remporté grâce à la poudre de Seton. Cette poudre, enveloppée de cire, ou de papier jaune, était intégrée à la masse en très petite quantité. Elle n'était pas d'un poids suffisant pour justifier celui de la substance transmutée. Il ne pouvait non plus s'agir de fulminate de mercure, qui en cours de route subissait de nombreuses manipulations. S'il n'y a là qu'une supercherie, elle fut accomplie avec une incroyable habileté. Nous devons nous garder de crier au truquage pour la simple raison que le résultat obtenu est en contradiction avec notre actuelle connaissance du monde physique. Il n'en reste pas moins que l'opération nous paraît purement et simplement impossible. Nous retrouvons ici l'histoire toujours renouvelée de l'alchimiste s'évanouissant dans le décor ; Seton parvint toujours à disparaître, la transmutation accomplie, et ceci jusqu'à son dernier emprisonnement. Quel pouvoir avait-il donc perdu ? Comment pouvait-il se rendre si mystérieusement d'un endroit à un autre ? Nous nous trouvons ici, soit devant une énigme qui ne sera jamais résolue, soit devant une supercherie si magnifiquement exécutée qu'elle

Figure d'un manuscrit alchimique du XVIII⁰ siècle.

réclamait la diabolique dextérité de ce grand illusionniste que fut Houdini.

Mais pour les quelques rares alchimistes qui réussirent à transmuter un métal vil en or, combien le tentèrent et échouèrent, et combien, plus nombreux encore, virent là un moyen de duper des gens crédules et de leur soutirer une monnaie sonnante et trébuchante qui les aidait à prendre la fuite. Comment furent effectuées ces transmutations ? Et le furent-elles jamais ?

Lorsque mourut l'empereur Rodolphe II, on trouva dans ses coffres quatre tonnes d'or et trois tonnes d'argent, bien rangées en petits lingots offrant toutes les apparences du métal le plus authentique. Faut-il voir là ce qu'il restait du trésor des Habsbourg acquis par pillage au Mexique et au Pérou ? Les trois générations qui précédèrent celle de Rodolphe II avaient déjà accumulé des quantités d'or considérables. Etait-ce là, comme le bruit en courut, de l'or alchimique ? L'on trouva également, disait-on, dans ces coffres, abondance de poudre grise, mais qui ne permit pas d'effectuer la moindre transmutation. Pourrait-il s'agir, si elle provenait également d'Amérique, de platine réduit en poudre en provenance des Monts de la Nouvelle-Grenade où les Indiens se servaient de ce métal pour façonner leurs hameçons ? Une fois de plus nous nous trouvons devant une énigme, et les termes en sont trop obscurs pour que nous puissions la résoudre.

D'étranges récits coururent, au milieu du XVIIe siècle, sur cet expérimentateur anglais que fut Sir Kenelm Digby qui, au cours de ses études, puis lors de son exil en France, marqua un vif intérêt pour l'alchimie. Véritable magicien, il accomplit d'inexplicables guérisons à distance en saupoudrant, généralement de vitriol, un morceau de tissu ayant été en contact avec la partie malade. Nous nous trouvons là devant des cas de guérison par la foi et de perception extra-sensorielle. Ce grand seigneur fut un de ces êtres brillants qui échappent à toute classification. Il scandalisa ses amis, fit si bien qu'il s'acquit la réputation d'un charlatan, mais exécutait ses tours avec tant de charme que tous ceux qui y assistaient y croyaient. Il a laissé un document dans lequel il affirme qu'en amalgamant du mercure à de l'argent, et en y incorporant

ensuite de l'oxyde de mercure par un lent processus s'éten-
dant sur au moins trois semaines, on obtenait une substance qui mêlée à du borax donnait une poudre jaune.
Cette poudre jaune, à nouveau chauffée, on en retirait
d'une part l'argent primitivement incorporé, et de l'autre,
une quantité d'or égale au mercure amalgamé. Cela rappelle étrangement les expériences alchimiques de l'époque
classique, mais l'opération n'a pour nous aucun sens et,
répétée, ne donna aucun résultat valable. Cet étonnant
gentilhomme, au caractère fantasque, avait le charme mystérieux d'un arlequin et du vif-argent coulait dans ses
veines. S'il n'avait pas la nature austère de l'alchimiste,
il n'en reconnaissait pas moins l'efficacité de la prière
et se montrait compatissant envers son prochain. Il consi-
dérait certainement l'alchimie sous un angle plus théorique
que pratique, et devait s'adonner plus volontiers à la
lecture d'ouvrages alchimiques qu'à des expériences. Un
de ceux qui l'initièrent à l'art hermétique fut, à l'université,
le Hongrois Johannes Hunyade qui effectua en Bohême
une transmutation en présence du docteur Arthur Dee,
fils de John Dee. La contestation qui s'éleva entre eux
tendrait à prouver que Digby travaillait dans un esprit
plus systématique qu'on pourrait le croire. La chose dut
se passer avant 1651, année de la mort d'Arthur Dee.

C'est en 1661 que Robert Boyle, le grand chimiste,
publia son ouvrage, *The Sceptical Chymist,* qui redonnant
son sens grec au terme « élément » désigna ainsi les
ultimes substances qui ne peuvent être ni dissociées ni
attaquées au cours d'expériences chimiques, et réduisit à
néant le vieux principe philosophique des quatre éléments.
Aujourd'hui encore, nous définissons tous les éléments
chimiques selon les principes émis par Boyle. Terre, Air,
Feu et Eau n'ont pour nous d'autre signification que
poétique. Ils expriment des qualités et correspondent

approximativement à notre système de classification des états solides, liquides et gazeux. Quant au feu, il est l'état incandescent des matières gazeuses.

Une approche plus scientifique de la nature du monde physique ne détruisit pas la croyance en la possibilité de transmutation d'un élément en un autre, bien' qu'il y eût là une contradiction dans les termes. Cette croyance ne devait être rationalisée que trois siècles plus tard, lorsque la connaissance de la structure interne complexe des atomes d'éléments chimiques rendit possible une autre sorte de transmutation qui devait se révéler lourde de tragiques conséquences.

Il n'existait pas entre ces deux modes de pensée une différence aussi grande qu'on pourrait le croire. Les alchimistes en étaient peu à peu venus à tout attendre d'une illumination. Pour eux, les « éléments » étaient toujours chargés d'une signification secrète n'ayant rien à voir avec la composition des substances concernées. Ils s'intéressaient moins aux expériences pratiques qu'à une approche philosophique de la nature spirituelle de l'univers. Ils ne tardèrent pas à constituer un petit groupe de philosophes ésotériques persuadés que leur valeur personnelle conditionnait leurs expériences. Celles-ci n'étaient que la projection du travail accompli en leur âme, et le résultat, c'est-à-dire la transmutation des métaux, constituait la preuve matérielle d'une progression immatérielle. Faire de l'or pour son propre bénéfice allait à l'encontre des principes du véritable alchimiste. Il se plaçait au-dessus de considérations telles que le profit, et l'acquisition de richesses dans le dessein de rehausser son prestige. Il était intimement convaincu que le pouvoir de transmutation venait de Dieu et n'était accordé qu'à l'adepte ayant atteint un haut degré de spiritualité.

Dans l'ouvrage intitulé *Lucerna Salis,* Sir Kenelm Digby

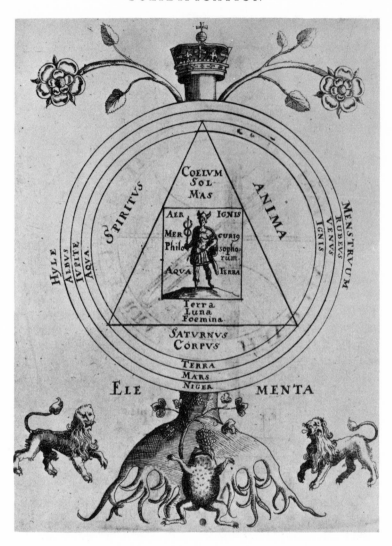

Planche de l'ouvrage de S. Norton. :
Alchimiae complementum. *Francfort. 1630.*

démontre clairement que l'alchimiste ne peut progresser que par la prière et que, s'il se détourne de cette voie, Dieu dressera devant son œuvre des obstacles, ou même le conduira à une totale catastrophe.

Les événements tragiques qui déchiraient l'Europe en cette période rendaient toutes spéculations religieuses ou philosophiques hautement suspectes. L'homme pensant, devant les atrocités commises au cours des guerres de Religion, ne pouvait faire autrement que de rechercher la voie qui le mènerait, par une large compréhension, à une conception plus juste de l'univers et de l'essence même de Dieu. Il en découlait tout naturellement que quiconque se rendait compte des conséquences néfastes des systèmes politiques de l'époque et du caractère dénaturé des doctrines aussi bien catholiques que réformées, courait un grave danger. Les persécutions religieuses atteignirent au XVIIe siècle au summum de la brutalité et de la cruauté. Les armées déferlaient en Allemagne, en Irlande, en Suisse, pillant et massacrant les populations. Dans ce monde déchiré, Jacob Boehme, fils d'un pauvre cordonnier, et le très estimé professeur Heinrich Khunrath furent deux personnalités marquantes qui surent trouver une réponse à ce dilemme. Tous deux avaient subi l'influence des doctrines alchimistes, Khunrath de façon directe, parce qu'il s'était livré à des expériences ; Boehme, parce qu'il possédait une intuitive perception de la nature de l'univers, qu'il avait connaissance des théories alchimiques répandues dans l'Europe tout entière.

Aucun de ces nouveaux philosophes hermétiques n'était prêt à s'engager sur la voie de la rationalisation de la chimie scientifique suivie en Angleterre et cependant les savants, loin de mépriser leurs travaux, s'inspirèrent de leurs doctrines philosophiques. Sir Isaac Newton s'intéressa vivement aux enseignements de Boehme, mais ne

Jacob Bôehme par J.B. Bruhl. XVIIe siècle.

négligea pas ses importants travaux au profit des théories
de ce fils de cordonnier. Newton avait sans doute une
conception classique de l'essentielle unité des lois physiques et mécaniques, et il acquit ainsi une plus vaste
compréhension du monde réel.

C'est précisément à cette époque, alors qu'une importante partie de l'enseignement alchimique était désormais

accessible à un vaste public, que diminua le nombre des prétendus faiseurs d'or. De la masse d'escrocs et de dupes, si caractéristique des XVe et XVIe siècles, il ne resta plus qu'un petit nombre de filous et de charlatans. Cette évolution eut des causes multiples. Elle fut due en partie aux plus vastes connaissances que possédaient les gens instruits, ce qui obligeait l'imposteur à opérer dans un laboratoire coûteusement équipé. En outre, de par la nouvelle structure sociale, il devenait de plus en plus difficile d'approcher les souverains en mal d'argent. Si l'on parvint à persuader de grands marchands d'investir des fonds dans la fameuse Affaire des Mers du Sud, jamais on n'a entendu dire qu'ils aient financé un alchimiste.

L'alchimie n'eut pas grand-chose à y perdre. Les adeptes se firent plus rares et plus secrets. On en trouvait davantage parmi de graves aînés discutant de la voie menant à la rédemption de l'humanité que dans les laboratoires. On devait certes éprouver de la compassion devant les efforts désespérés des malheureux souffleurs qui, cherchant à fabriquer de l'or, y perdaient tous leurs biens et n'y gagnaient que risées et quolibets, mais les véritables adeptes n'avaient que mépris pour de telles pratiques. Ils avaient conscience que ces souffleurs, parce qu'ils n'aspiraient qu'aux biens matériels, étaient les propres artisans de leurs échecs.

Le processus alchimique dépendait à ce point de conditions psychologiques qu'il était banal de dire que l'homme imparfait ne pouvait aboutir qu'à des résultats imparfaits.

Comme le siècle approchait de sa fin, l'attitude du public envers les alchimistes se modifia. On vit désormais en eux des rêveurs, ou d'excentriques et inoffensifs illuminés à la poursuite d'une chimère. L'art spagyrique avait fait son temps. Science et théologie constituaient maintenant deux branches d'égale importance dans l'étude de l'univers.

C'est à Helvétius (Johann Friedrich Schweitzer) qui, en 1666, reçut la visite d'un adepte, que nous devons le récit le plus authentique d'une transmutation. Ce visiteur, fort mystérieux, déclara être en possession d'un inestimable trésor dont il voulut bien, à sa seconde visite, remettre à Helvétius la valeur d'un grain de blé. La quantité infime que lui en avait dérobé ce dernier lors de sa première venue s'était révélée impropre à toute expérience, mais l'adepte, avant de se retirer, donna toutes les instructions nécessaires sur le processus à suivre. Bien qu'il l'eût promis, il ne revint jamais. Sur les instances de sa femme, Helvétius tenta, avec l'infime particule de la mystérieuse substance que lui avait remise l'inconnu, l'expérience qui fut couronnée de succès. S'il ne s'agissait là que d'une suite de rêves, cela prouverait qu'Helvétius était parvenu, du point de vue psychique, à un haut degré d'individuation et qu'il avait la prescience de l'étape suivante. Mais il s'avéra que le visiteur était un personnage bien réel et que la transmutation du métal vil en or s'effectua devant témoins. Alors que cet or était encore chaud, il fut mis à l'épreuve par un orfèvre digne de foi puis, au cours du même matin, contrôlé par les autorités de la ville.

Rien ne manque dans cette relation, ni la date ni le lieu : le 27 décembre 1964, à La Haye. La quantité de substance transmutée s'élevait à un peu plus d'une demi-once de plomb, et l'or fut évalué par un orfèvre à cinquante-cinq florins l'once, prix appréciable pour l'époque. Helvétius ne recherchait pas la notoriété, et étant donné qu'il versa lui-même le plomb dans le creuset, il est exclu que celui-ci ait contenu un autre métal que du plomb. Le minuscule fragment de la Pierre fut enrobé de cire par l'épouse d'Helvétius en présence de ce dernier. Le plomb fut alors transmuté, puis contrôlé. Il n'était pas simplement doré et aucune pépite d'or n'y avait été amalgamée. L'expérience fut effectuée rapidement, non dans des vases scellés, mais dans un creuset posé à même le feu. La nouvelle de cette extraordinaire transmutation fit accourir au laboratoire des visiteurs de marque. Helvétius était déjà connu d'eux et, à part quelques florins dont il pouvait aisément se passer, cette expérience ne lui rapporta rien. Il n'avait donc aucune raison de se livrer à une supercherie. Et cependant il agit un peu comme en un rêve qui pourtant était une réalité.

A l'époque, Helvétius avait quarante et un ans, et il estima que son visiteur pouvait en avoir quarante-trois ou quarante-quatre. Un homme quelconque qui, supposa Helvétius, devait être originaire de la province de la Hollande septentrionale. Helvétius note que l'inconnu pénétra dans son cabinet de travail, ses chaussures maculées de boue et de neige, mais il ajoute que c'était là une coutume fréquente à l'époque aux Pays-Bas. (Veut-il insinuer par là que l'étranger « apporta » quelque chose dans son laboratoire ?) Le visiteur, de taille moyenne, portait des vêtements plébéiens, avait un visage pâle, maigre et imberbe, les cheveux noirs et plats. Courtois et aimable, il ne s'en exprimait pas moins avec autorité. Il dit entre autres qu'ayant lu l'article d'Helvétius relevant les folles assertions énoncées par Sir Kenelm Digby sur ses propres transmutations, il avait souhaité lui rendre visite en compagnie d'un ami. Il exprima l'intention de révéler à Helvétius le secret de la panacée. Il lui déclara n'être qu'un simple fondeur de cuivre et avoir appris d'un ami la façon d'extraire cette panacée d'un métal en fusion. (Il semble qu'il ait dit alors se prénommer Elie, ou Helvétius le compara-t-il à Elie ?)

L'Alchimiste. Tableau de Th. Wyck. XVIIe siècle.

L'inconnu, après avoir discuté d'ouvrages alchimiques, sortit d'une bourse pendue à son cou et qu'il portait sous sa chemise, une petite boîte d'ivoire. Elle contenait trois morceaux gros comme des noix d'une très lourde substance couleur d'ambre, à laquelle adhéraient encore des paillettes métalliques provenant du creuset. Il énuméra toutes les propriétés curatives et transmutatoires de cette substance et affirma en avoir, dans cette bourse, de quoi transmuter environ vingt tonnes d'or. Helvétius lui demanda alors pourquoi cette substance était jaunâtre, et non d'un rouge de rubis telle qu'elle est décrite dans les livres. Il s'entendit répondre que c'était là la vraie substance. Comme il priait l'étranger de bien vouloir lui céder un peu de cette précieuse substance, celui-ci lui répondit :

« Oh, non, non ! Ce ne serait pas chose licite, lors même que tu me ferais présent d'autant de ducats d'or qu'il en faudrait pour remplir cette chambre, — *et cela non pas en raison de la valeur de la substance, mais de certaines conséquences qu'il ne serait pas licite de divulguer* — non, s'il était possible que le feu fût consumé par le feu, je jetterais à l'instant même la substance tout entière dans les plus ardentes des flammes. »

Cependant l'étranger décida de se montrer généreux envers Helvétius et le pria de l'emmener dans une chambre où ils pourraient s'entretenir sans risquer d'être entendus. Helvétius le conduisit dans la pièce la mieux meublée, donnant sur l'arrière de la maison. (Et c'est à ce moment qu'il remarqua les chaussures maculées de boue et de neige de son visiteur.) Celui-ci lui montra alors cinq médailles qu'il portait sous sa chemise, retenues par un ruban de soie verte. Chacune d'elles comportait une inscription qu'il autorisa Helvétius à reproduire. Ces inscriptions étaient d'inspiration religieuse, en dépit du ruban vert (emblème de sorcellerie et de magie). L'étranger perdit alors un peu de l'aspect démoniaque qu'il avait affiché dans la pièce en façade. Voici ces inscriptions.

Saint, Saint, Saint
Est le Seigneur Notre Dieu
Sa Gloire
Emplit l'Univers
♌   ♎
Signe : LION. Signe : BALANCE.

De Jéhovah
La merveilleuse et miraculeuse
Sagesse
S'exprime dans le Saint Livre
de la Nature
Je fus exécutée
Le 26 août 1666.

☉   ☿   ☽
Signes : SOLEIL, MERCURE LUNE
Dieu, la Nature et
L'Art spagyrique
Ne font rien
En vain

Sacré est le Saint Esprit !
Alleluia, Alleluia, Alleluia
Arrière Satan
Ne parle pas de Dieu sans
La Lumière
Amen

Que l'Eternel
Invisible, trine, trois fois
Saint, le Dieu unique et sage
Père et
Sauveur
Soit béni aujourd'hui et à
jamais

Ces inscriptions ne sont probablement pas placées dans l'ordre exact. Leur sens serait plus compréhensible si, aussi bien pour les deux inscriptions du haut que pour celles du bas, on lisait en premier celle de droite.

Après lui avoir montré ses médailles, l'étranger raconta à Helvétius comment il avait reçu lui-même la visite d'un inconnu à l'aspect bizarre qui lui avait enseigné tout ce qu'il savait des médecines de l'époque et la façon de préparer des élixirs. Il lui apprit également comment fabriquer des joyaux d'une grande beauté (la pâte ?), puis à effectuer des transmutations de métaux vils en or et en argent. Helvétius, fasciné, le pria alors de lui donner des directives d'ordre pratique. Mais sur ce, l'étranger se retira, non sans avoir promis de revenir trois semaines plus tard.

Si nous considérons ce qui précède, nous pouvons évidemment y voir la relation d'un rêve. L'étranger pourrait bien n'être que la partie obscure d'Helvétius lui-même. Les doutes que ce dernier exprime, la réponse qui lui est donnée sous forme de symboles et d'assertions reflètent peut-être la lutte qui se livrait en son être contestant certains mystères et tout particulièrement le pouvoir transmutatoire de la poudre de Kenelm Digby. Il cherche, par son rêve, à se rassurer lui-même en affirmant que le visiteur est bien venu d'un monde extérieur réel puisque ses chaussures sont maculées de neige. C'est dans sa *mandala* (allusion à la forme de la chambre) que le récit lui est fait, et il trouva là une confirmation, renforcée encore par la disposition des médailles sur la poitrine de l'étranger. La médaille centrale comporte un message : les symboles du Soleil, de la Lune et de Mercure, et l'affirmation que Dieu, la Nature et l'Art spagyrique ne font rien en vain. Le problème doit donc être résolu, car le rêveur a maintenant conscience, au plus profond de son cœur, qu'il connaît désormais le vrai processus. L'étranger rappelle alors à Helvétius que lui aussi a reçu la visite d'un inconnu et qu'ils ont donc passé tous deux par des expériences similaires ; en lui faisant le récit de ses travaux, il semble promettre à Helvétius que lui aussi mènera à bien des recherches dont l'origine est une vision.

Cependant, au jour dit, l'étranger revint, à La Haye ; à la maison d'Helvétius. Mais cette fois, tous deux sortirent se promener en s'entretenant amicalement. L'étranger commença de parler de questions religieuses, mais Helvétius ramena la conversation sur les méthodes à employer pour opérer la transmutation alchimique de métaux. Il avait disposé, dit-il à son visiteur, son laboratoire selon les instructions reçues lors de leur première rencontre, et il lui rappela sa promesse de lui donner

Deux illustrations
du De summa et universalis medicinae sapientiae veterum philosophorum.

de plus amples directives. « Oui, c'est vrai, répondit l'autre. Mais si je t'avais promis de te donner, à mon retour, d'autres enseignements, c'est à la condition que *cela ne fût pas interdit.* »

Sur quoi Helvétius, comprenant qu'il serait vain de prolonger cette discussion, implora son visiteur de lui céder une parcelle de cette pierre miraculeuse. L'étranger, après avoir longuement réfléchi, lui en donna un petit morceau de la grosseur d'une graine de colza, en lui disant : « Reçois ce minuscule fragment du plus grand trésor du monde qu'en vérité peu de rois ou de princes ont jamais vu ou connu. » Ce fragment était à ce point minuscule qu'Helvétius protesta, disant qu'il parviendrait à peine à changer quatre grains de métal en or. Pour toute réponse, l'étranger reprit le fragment, le brisa en deux, et jeta une moitié dans le feu. (Rappelons qu'au cours de sa précédente visite, il avait laissé entendre que cette substance ne pouvait être détruite par le feu.) Il enveloppa l'autre moitié dans du papier bleu et la remit à Helvétius en disant : « Elle te suffira. » Helvétius eut beau protester, il ne reçut que cette réponse : « Si tu crains de n'y pas parvenir, ne le tente pas. Cependant, si grande est sa proportion pour une petite quantité de plomb qu'il te suffira de verser dans le creuset deux drachmes, ou une demi-once, ou un peu plus, même, de plomb ; car il ne doit point y avoir dans le creuset plus de plomb que la médecine n'en peut traiter et transmuter. »

C'est alors qu'Helvétius lui avoua avoir, au cours de leur première rencontre, gratté avec son ongle une des pierres. Il enveloppa ensuite cette raclure dans un morceau de papier bleu et jeta cette infinitésimale quantité de la substance dans un creuset empli de plomb en fusion, obtenant pour tout résultat une explosion. La presque totalité du plomb déborda et ce qu'il en restait se transforma en une sorte de terre cuite vitrifiée. (Cela évoque pour nous la couverte à base de plomb dont usaient à l'époque les potiers.) Cependant, l'étranger continua de lui prodiguer ses conseils.

« Tu me parais plus habile, lui dit-il, à commettre un larcin qu'à appliquer la teinture, car si tu avais enrobé le produit de ton vol de cire jaune, pour le préserver des vapeurs de plomb, il aurait pénétré au cœur même de ce métal et l'aurait transmuté en or ; mais l'ayant jeté à même les vapeurs, la violence desdites vapeurs et les alliances qui en ont résulté ont rejeté ta médecine : car l'or, l'argent, le vif-argent et autres métaux similaires sont attaqués, puis brûlés jusqu'à vitrification par les vapeurs du plomb. »

Helvétius apporta alors le creuset et l'étranger constata que les parois intérieures avaient pris une magnifique teinte safran. Nous ignorons si Helvétius avait déjà fait cette constatation.

Cela constitue donc la première partie de l'entretien de ce jour. On remarquera que la précieuse substance avait d'abord été enveloppée dans un papier bleu (symboliserait-il l'inconscient ?) et que son emploi brutal aboutit à une frustration ; rien n'indique, cependant, que ce soit là une sanction contre l'auteur du larcin. Dans le véritable processus, la substance doit être enrobée de cire jaune, sans doute pour la protéger à l'instant de son premier contact avec le plomb en fusion. Mais il ne faut pas oublier que la couleur jaune suggère l'image de l'*anima,* c'est-à-dire le côté féminin d'Helvétius. Tout cela peut n'être qu'une allégorie aux symboles à peine voilés.

Dans la deuxième partie de l'entretien, qui se déroula lors de la seconde visite de l'étranger, est rapportée l'insistance que met Helvétius à recueillir de nouvelles directives d'ordre pratique et des détails sur les substances à employer. Cela lui valut une série de paraboles qui toutes se rapportaient à l'alchimie, mais qui étaient dans l'ensemble fort obscures.

« Mon ami, tu voudrais tout savoir, et sur toutes choses, en un instant, mais voici ce que je vais te révéler : ni les dépenses engagées ni la longueur du temps consacré ne découragent quiconque ; quant à la matière dont est fait notre magistère, je tiens à ce que tu saches qu'il n'existe que deux métaux et minéraux qui permettent de le préparer ; mais le soufre des philosophes se trouvant en plus grande quantité et abondance dans les minéraux, il est par conséquent tiré des minéraux. »

Helvétius demanda alors de quoi était fait le menstruum (solvant ou flux) employé par les alchimistes.

« L'étranger lui répondit que le menstruum était un sel divin, ou d'essence divine, au moyen duquel seul un Sage pouvait dissoudre un corps métallique terrestre, et que de cette solution on tirait aisément et instantanément le très noble élixir des philosophes. L'opération doit être effectuée, du commencement à la fin, dans un creuset posé à même le feu ; l'œuvre tout entière, de son extrême début à son extrême fin, ne doit pas excéder quatre jours, ni la dépense trois florins ; et ni le minéral dont il est tiré ni le sel qui permet de l'effectuer ne sont d'un grand prix. »

Lorsque Helvétius lui objecta que d'après les philosophes, l'Œuvre prenait de sept à neuf mois, il rétorqua :

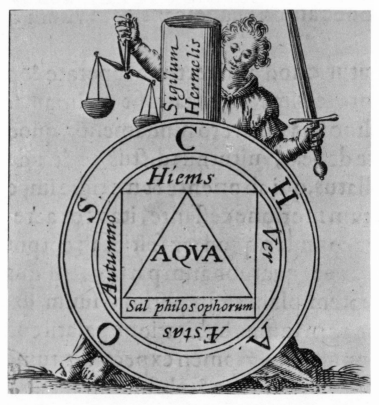

Le sel philosophique. Gravure pour le Tripus aureus *de Maier. 1618.*

« Leurs grimoires ne sont intelligibles qu'aux véritables adeptes ; c'est pourquoi ils n'annoncent rien de certain quant à la durée de l'opération ; non, sans les instructions d'un véritable adepte et philosophe, aucun disciple ne trouvera la voie qui mène à la préparation de ce Grand Magistère, et c'est pourquoi je te presse et t'adjure (en ami) de ne pas gaspiller ton argent et tes biens dans la poursuite de cet art ; car ainsi tu ne le trouveras jamais. »

A nouveau Helvétius suggéra qu'instruit des principes fondamentaux, il pourrait poursuivre seul ses recherches. A quoi l'étranger répondit :

« Il en va tout autrement dans cet art ; car à moins que tu ne connaisses la chose de la tête aux pieds, et de la semence aux fruits, c'est-à-dire de l'extrême début à l'extrême fin, tu ne sais rien ; et bien que je t'en aie dit assez, tu ne sais pas comment opèrent les philosophes et comment ils rompent le sceau cristallin d'Hermès où le Soleil répand sa splendeur par ses rayons métalliques aux merveilleuses couleurs ; et dans ce miroir les yeux de Narcisse distinguent les métaux transmutables, car les véritables adeptes philosophes extraient de ces rayons leur feu par qui les métaux volatils peuvent être transformés en ces plus stables des métaux que sont l'or et l'argent.

« Mais assez pour aujourd'hui ; car j'ai l'intention (Dieu le voulant) de te rencontrer une fois de plus à la neuvième heure (comme je l'ai dit) ; de traiter plus à fond de ce sujet philosophique et de te montrer comment on opère une projection. »

Cependant, après avoir amicalement pris congé d'Helvétius, l'adepte se retira. Il ne devait jamais reparaître. Rien de surprenant à cela. N'avait-il pas, à deux reprises, laissé entendre qu'il n'était pas autorisé à donner de plus amples informations. En fait, à en juger par ses premiers propos, il avait déjà dépassé certaines limites, mal définies, de la connaissance.

Rêves que tout cela ? On peut certes voir dans cette suite de faits des rêves éveillés, s'insérant dans un contexte parfaitement clair. Helvétius était un familier de la littérature alchimique, et un homme à la personnalité évoluée. Du point de vue psychique, cela se tient. Toute l'affaire peut être en effet une projection de l'inconscient, *mais*...

La nuit suivante, son épouse demanda à Helvétius de mettre à l'épreuve le minuscule fragment du précieux transmutant. Il fit allumer le feu, raconte-t-il, ce qui sous-entend qu'un de ses aides de laboratoire au moins était présent ; une fois la transmutation effectuée, il mentionne le fait que tous les assistants furent émerveillés, ce qui implique que l'opération se déroula devant plusieurs témoins. On procéda alors aux deux contrôles, le premier par un orfèvre ; le second, par des experts. Le plomb avait été transmué en or et qui plus est, en un or très pur.

Ainsi ce qui fut peut-être la dernière transmutation authentique fut aussi la plus clairement décrite par un homme d'une réelle valeur scientifique. Déjà l'alchimie se meurt, mais elle laisse derrière elle cet impénétrable mystère qui n'a pas fini de hanter l'esprit humain.

A la fin du XVIIᵉ et au cours du XVIIIᵉ siècle, l'alchimie se perpétue, mais les transmutations se font plus rares et plus secrètes. Les philosophes s'adonnent de plus en plus à des études découlant de l'alchimie, études qui traitent des questions religieuses et établissent un lien entre les mystérieux rites de l'alchimiste et l'évolution de l'âme.

CHAPITRE IX

Nigredo

U début du XVIIIᵉ siècle, nombre d'alchimistes fabri-
quèrent pour des chefs d'Etat des médailles d'or.
Ces opérations se déroulaient le plus souvent devant
des témoins qui ne détectaient aucune supercherie. Mais les
récits abondent d'escrocs et d'imposteurs qui, par quelque
opération magique, faisaient surgir de l'or en petite quantité, et s'en procuraient beaucoup plus en promettant de
remettre d'importants fragments de la Pierre philosophale à
tout prince crédule qui, pour s'assurer ce privilège, puisait
à pleines mains dans le Trésor. Dans la plupart des cas, le
faux alchimiste réussissait à s'enfuir. Il arrivait cependant
qu'il fût pris et jeté dans le cachot humide d'un donjon,
où il pourrissait.

Ces opérations de transmutation, même couronnées de
succès, étaient effectuées devant un petit cercle de gens
plus ou moins ignorants. Les princes et leurs ministres
croyaient sans doute aux vertus de l'alchimie et n'étaient
peut-être pas uniquement avides d'or, mais ce n'étaient pas
des adeptes. La philosophie était absente de ce genre
d'opération qui visait davantage à remplir les caisses de

l'Etat qu'à améliorer le sort d'une humanité souffrante, ce qui était absolument contraire à l'enseignement des alchimistes du temps passé. Fabriquer de l'or pour faire progresser la société était une chose ; se mettre dans une certaine disposition philosophique avant de procéder à une transmutation en était une autre. Vers la fin du siècle, surgirent quelques hommes remarquables qui ne se réclamaient pas de l'alchimie, mais que leurs expériences occultes mirent à même de s'enrichir, eux et leurs amis.

Deux des plus célèbres d'entre eux furent le comte de Saint-Germain et Cagliostro. Tous deux voyageaient en compagnie d'une femme très belle qui se trouvait être leur épouse, et tous deux furent en possession, au sommet de leur carrière, de fonds en apparence inépuisables. Mais on pense généralement qu'ils s'étaient procuré ces fonds par l'entremise d'une société secrète d'occultistes comprenant de riches et généreux souscripteurs, plutôt qu'au moyen de la Pierre philosophale. Ils ne semblent pas avoir fait état de processus, ou de rites alchimiques. L'ouvrage du comte de Saint-Germain, *La Trois Fois sainte Trinosophie,* aujourd'hui à Troyes, contient de nombreux textes hermétiques, et la représentation illustrée de rites relevant bien plutôt de l'occultisme, mais auxquels on attribua par la suite une signification hermétique, la campagne d'Egypte de Napoléon ayant suscité pour ce pays un véritable enthousiasme. Le culte de Thot, assimilé à juste titre à Hermès Trismégiste, se propagea et acquit ses rites caractéristiques avant même que l'on ne déchiffrât l'écriture hiéroglyphique. La voie restait ouverte, mais elle s'enfonça toujours plus dans le secret.

On employa désormais, pour effectuer des transmutations, les matériaux les plus divers, et la préparation chimique de fabrication de la Pierre fut réduite au minimum. Cela est exprimé de façon implicite dans la litté-

Intérieur d'une officine (gravure illustrant un ouvrage de Barchusen, 1718).

rature alchimique du temps, qui insiste sur la nécessité de simplifier un art sur son déclin. Le véritable adepte avait suffisamment de lumières, croyait-on, pour effectuer ses opérations à l'aide d'un équipement réduit et d'un fourneau.

Un des personnages les plus pittoresques de ce début de siècle fut Manuel Caetano en qui certains voyaient un des maîtres de la connaissance alchimique et qui, en d'autres lieux, passait pour un escroc et un imposteur. Cet orfèvre se doublait d'un prestidigitateur d'une diabolique habileté, ce qui laisse supposer le pire. Il effectua, tant à la cour d'Espagne que de Vienne, des expériences couronnées de succès. Mais à Bruxelles, il fut condamné à six ans de prison pour avoir tenté de prendre la fuite avec un magot représentant trente mille livres actuelles. A nouveau arrêté à Berlin pour quelque escroquerie, il s'échappa puis fut repris. En 1709, le roi de Prusse décida de lui infliger un châtiment exemplaire qui servirait de leçon aux trop nombreux charlatans. Revêtu d'un costume couvert de paillettes d'or, Caetano fut pendu à un gibet doré, et se balança, scintillant, au gré du vent. Les souverains qui, eux aussi, avaient été dupés durent éprouver un certain plaisir devant ce pittoresque spectacle.

Par contre, en Suède, à la même époque, le général Paykhull échappa à la peine capitale en effectuant devant le roi Charles XII une transmutation. Il prétendit avoir été initié à l'art alchimique par un Polonais qui lui-même l'avait été par un prêtre de Carinthie. En présence de crédules assistants, Paykhull jeta dans une masse bouillonnante de métaux en fusion un élixir enrobé de plomb. On évalua à 147 ducats d'or l'or ainsi transmuté. Une médaille fut frappée en souvenir, portant cette inscription : Stockholm, 1706. Il semble que dans cette affaire le risque de supercherie ait été moindre que dans bien des cas ; d'ailleurs l'or est là pour en certifier ; néanmoins nous sommes bien loin ici de l'expérience que connut, quarante ans auparavant, Helvétius dont la relation paraît si digne de foi. L'intérêt de l'histoire, c'est que Paykhull affirma avoir reçu l'élixir d'un adepte qui lui-même le tenait d'un membre du clergé d'un pays lointain. Nous retrouvons ici l'écho de la tradition médiévale.

Bien entendu, au cours de ce siècle — et aujourd'hui encore —, les plus anciennes traditions de l'alchimie arabe se perpétuèrent dans le monde islamique ; elles étaient avant tout de caractère religieux, et la fabrication de l'or en grande quantité n'était pas leur principal objectif. Les alchimistes arabes se préoccupaient bien plus de faire triompher le concept archaïque du rapport entre l'âme et le monde physique, concept parfaitement en accord avec l'islamisme. Cependant rares étaient les adeptes qui discernaient ce que contenait d'occultisme la tradition alchi-

Allégorie alchimique (XVIIIᵉ siècle)

mique. Tandis que sous sa forme la plus archaïque cette tradition se perpétuait encore, particulièrement en Afrique du Nord, elle suivait une évolution toute différente dans une Europe qui connaissait de véritables bouleversements sociaux auxquels n'échappaient pas ces hommes secrets et mystérieux qu'étaient les alchimistes.

Parce qu'à une organisation médiévale succéda un monde nouveau régi, au sein de puissantes monarchies, par des échanges commerciaux, les structures sociales subirent une profonde transformation. L'alchimie elle-même en subit le contrecoup et se divisa en deux branches distinctes. Les souffleurs et leurs successeurs, même ceux dont les expériences étaient prétendument couronnées de succès, se tournèrent plus volontiers vers les organismes d'Etat. On comptait davantage sur eux que sur d'incertaines entreprises pour se procurer de l'or à bon compte. Mais la plupart du temps, ils n'y réussissaient pas. Il ne pouvait en être autrement, car s'il y avait quelque vérité dans la doctrine traditionnelle qui voulait que l'âme de l'expérimentateur fût partie intégrante de l'Œuvre, ces hommes étaient d'avance voués à l'échec. Ils n'avaient pas l'étoffe de véritables alchimistes. D'autre part, les philosophes, dans leur ensemble, s'étaient détournés de la foi orthodoxe, et exploraient de nouvelles voies, dans l'espoir d'acquérir la connaissance transcendantale de Dieu et de Sa Création. Ils remettaient en question les traditions, même lorsque leurs idées leur étaient dictées par une illumination spirituelle et non par le raisonnement. Peu d'entre eux prenaient encore la peine de se conformer aux anciens rites expérimentaux. Ils avaient pour principe d'appliquer à eux-mêmes les théories astrologiques, chimiques et spiritualistes de l'alchimie. Et c'est pourquoi, dans leur majorité, les adeptes avaient substitué à l'alchimie expérimentale les recherches théoriques.

Le dernier des essais officiellement contrôlés de transmutation d'un métal vil en or se termina par une tragédie, le suicide du docteur James Price, de Stoke d'Abernon, dans le Surrey. Price, qui avait hérité d'une fortune considérable, acheta, à Stoke, un manoir où, passionné de chimie, il se livra à de nombreux travaux. Ceci l'amena tout naturellement à effectuer des expériences alchimiques qui donnèrent des résultats stupéfiants. Price écrivit alors un petit traité sur les transmutations, mais une fois de plus ce traité ne contenait aucune donnée utile, et il était rédigé en termes des plus obscurs. L'erreur de Price consista probablement à publier ce traité et à rechercher la célébrité. Son ouvrage eut en effet un certain retentissement et Price invita quelques hautes personnalités, entre autres Lord Palmerston, à assister à des transmutations. Ces invités constatèrent, mais sans pour cela faire procéder à une analyse chimique, que Price employait une poudre blanche dont il se refusa à donner la formule.

Voici comment Price opéra. Il prit cette poudre, y ajouta cinquante fois son poids de mercure, y incorpora du borax et du salpêtre et porta la masse à ébullition en la remuant à l'aide d'une tige de fer. (On imagine sans peine quel bouillonnement et quelle effervescence dut provoquer une telle opération.) Quand la masse atteignit une consistance égale, il la laissa refroidir. Puis il retira du creuset un lingot d'argent d'un poids égal à celui du mercure.

Il procéda ensuite à une autre opération. Il ajouta soixante fois son poids de mercure à de la poudre rouge (nous retrouvons là une des recettes classiques de l'alchimie médiévale) et, la transmutation terminée, retira du creuset un lingot d'or. Price insista pour que ces lingots fussent contrôlés et tous deux se révélèrent d'argent et d'or pur. Cependant il n'avait pas échappé aux esprits scientifiques du temps que les traités de Price n'étaient qu'un tissu d'inepties et ne pouvaient mener à rien. Certains savants soupçonnaient même Price de se parer de titres qu'il ne possédait pas. Ils se consultèrent et, finalement, les membres d'un comité de la Royal Society, ayant à leur tête le botaniste Sir Joseph Banks, sommèrent Price d'exécuter devant eux une transmutation. Price se déroba, s'efforça de gagner du temps, s'adressa à ses amis philosophes, en Allemagne, pour obtenir de nouvelles données et finalement, ne pouvant faire traîner davantage les choses en longueur, se prépara à effectuer, dans sa maison de Stoke, une démonstration devant les membres du comité. Bien loin d'opérer une transmutation, il avala du poison et mourut sous leurs yeux. Tout laisse donc à penser que Price n'était qu'un imposteur. L'enquête ordonnée par le juge conclut charitablement à la folie. La poudre blanche ne fut jamais analysée, et cette triste affaire ne fut qu'une tragédie de plus sur la voie qui devait mener à la chimie d'aujourd'hui. Par ses méthodes irrationnelles Price appartenait encore au Moyen Age. Lord Palmerston vit-il vraiment le mercure transmué en or ? La chose est des plus douteuses, et cependant rien ne vient absolument l'infirmer, ou le confirmer. C'est bien là un des aspects exaspérants de l'histoire alchimique. Il ne suffit pas d'affirmer que la chose était impossible. Plus qu'improbable, certes, car du point de vue scientifique, nous savons aujourd'hui qu'on ne peut effectuer une transmutation sans disposer d'importantes installations nucléaires et électroniques. Il n'en reste pas moins que les relations de quelques témoins de bonne foi nous laissent songeurs.

Un aspect plus plaisant de l'occultisme au XVIIIe siècle fut l'apparition d'un nouveau concept, celui de la *Soror mystica*. Cette compagne idéale de l'alchimiste ressortissait à la magie et même à la sorcellerie. Elle était l'équivalent psychologique de l'*anima*. Dans la pratique, elle ne devait être en aucun cas l'épouse, mais la compagne idéale de l'expérimentateur, et il ne convenait pas qu'il eût avec elle des rapports sexuels. Cette nouvelle génération d'alchimistes tendait à expliquer les mystères de la Nature et les hermétiques paraboles du Cosmos par l'union sexuelle. A l'ère de la science, cette conception n'avait rien d'irrationnel, mais on en revenait ainsi au culte égyptien de la fertilité. Il ne faut pas oublier que l'alchimie tire son nom du noir limon du Nil, source inépuisable de vie.

Les alchimistes ont toujours eu recours, pour décrire leurs travaux. à un symbolisme sexuel très apparent dans certaines des illustrations de leur traité. Cependant ce symbolisme n'est pas plus chargé de signification que celui des mythes grecs. Dans l'Antiquité, on tenait pour chose évidente et admirable que le processus de la génération humaine fût à l'image de celui du cosmos. Ce concept ne fut jamais poussé aussi loin que dans la religion polynésienne, mais il joua toujours un rôle important. Cependant,

Le Mercure en tant qu'âme du monde. Turba philosophorum. XVIe siècle.

au cours de la période médiévale, aussi bien dans les pays islamiques que dans l'Occident chrétien, on voyait dans les symboles picturaux une illustration, sur un plan supérieur, des actes de la vie quotidienne. A l'acte sexuel créateur de vie correspondait la puissance créatrice de l'univers tout entier, et nous retrouvons d'ailleurs dans l'imagerie religieuse du temps les mêmes concepts que dans les illustrations alchimiques, caractérisées par une touchante naïveté et de gauches attitudes. Il ne fait aucun doute que l'explication des mystères repose sur l'analogie établie entre l'accession à la perfection, c'est-à-dire la Pierre philosophale, et le processus de l'acte sexuel, de la naissance, de la mort, de la résurrection et de la glorification. Toutes les forces de la nature sont invoquées, puis revêtues des symboles et couleurs des minerais et des planètes, alors que seul l'être humain conserve toujours son apparence humaine.

Avec le temps, l'illustration de ce processus se fit plus savante et plus raffinée, et l'analogie avec la vie sexuelle, plus évidente. La Renaissance avait non seulement remis en honneur un certain réalisme, mais développé un sens plus grand de la beauté.

Le XVIe siècle nous offre des gravures sur bois qui ramènent les symboles aux actes de la vie quotidienne. Le Roi et la Reine sont sexuellement et heureusement unis, et seules leurs couronnes les distinguent des autres humains tandis qu'ils franchissent les étapes de la vie, de la mort, de la résurrection, suivie de l'union parfaite. Comment ne pas évoquer le peu que nous savons des mystérieux cultes de l'Antiquité et du *hieros gamos,* cette union physique du prêtre et de la prêtresse, qui, par association d'idées, communique une vie nouvelle aux initiés.

Il est probable qu'à la fin du XVIIe siècle et au cours du XVIIIe siècle, le parallèle sexuel avec le rite alchimique

Planche du Trésor des trésors. *XVII*e *siècle*.

se perpétua de façon plus ou moins secrète. En cette période de classicisme et de liberté de mœurs, les intellectuels ne durent nullement être choqués par cette franche représentation de la vie sexuelle. Le fait peut-être le plus significatif de cette redécouverte de l'instinct vital est qu'elle le fut par des alchimistes d'âge mûr. Ils ne voyaient pas là une union orgiaque, expression d'une furieuse joie de vivre, mais bien plutôt un acte rituel chargé d'un contenu spirituel. Cela explique probablement pourquoi les illustrations alchimiques sont à la fois crues et innocentes, comparées aux estampes érotiques qui ornaient le cabinet des riches lettrés du temps.

Il n'en est pas moins vrai que l'érotisme occupa une place importante dans l'art alchimique, et se manifesta de façon plus nette encore dans les périodes ultérieures. S'il ne donna jamais à l'acte sexuel la valeur d'un rite, il établit un lien entre le processus de la transmutation et celui de la vie humaine. L'alchimie eut ce mérite de donner à l'adepte une plus grande compréhension de l'unité essentielle qui existe entre le microcosme et le macrocosme, c'est-à-dire entre l'élan vital de l'être humain et la puissance créatrice de l'univers. Les alchimistes se contentaient encore de cette conception romantique qui veut qu'amour et sexualité ne fassent qu'un, et c'est pourquoi leur philosophie, toute emplie des concepts théosophiques du XVIIIᵉ siècle, était basée sur cette idée que la force créatrice la plus puissante n'était autre que l'amour. Ils voyaient sans doute là l'équivalent d'une nouvelle dimension de l'univers, comparable en quelque sorte à l'éther où il baignait selon les alchimistes archaïques. Nous devons être reconnaissants à Sir Isaac Newton d'avoir appelé *gravitas* (gravitation) cette force par lui découverte qui relie les planètes au soleil, au lieu d'adopter le principe alchimique de l'attraction universelle, autrement dit de l'amour.

Une fois de plus nous voyons se dessiner, dans la doctrine alchimique, des courants de pensée bien distincts. A l'aube de l'ère scientifique le fossé s'élargit entre alchimistes et chimistes. Les mots qu'ils employaient étaient parfois les mêmes, mais combien différent était le sens qu'ils leur donnaient! Rien de surprenant, alors, que les ouvrages alchimiques soient devenus de moins en moins compréhensibles à ceux qui cherchaient de la raison dans leurs contradictions délibérées et leurs associations des contraires.

Tout ce qui touchait à l'union, à la séparation et à la réunion des forces vives était inhérent à l'alchimie. Elle en revenait ainsi aux philosophies archaïques dont elle dérivait, et tout particulièrement à la mythologie de l'ancienne Egypte. L'union de la terre et du ciel, personnifiés par Geb, dieu de la Terre, et par Nout, déesse du Ciel, est le pivot même de la création d'un monde d'où la vie jaillira par la génération (contraires). Nous retrouvons ici le mythe polynésien de Rangi et Papa. En d'autres termes, ce concept est un archétype que l'on retrouve à l'origine de toute religion. Quelle meilleure illustration pour les Egyptiens, même dépourvus de toute formation scientifique, que les fertiles terres d'alluvion déposées sur ses rives par le Nil en crue, et d'où jaillissaient crapauds et mouches, herbes et fleurs. Oui, ce noir limon était une abondante source de vie. Ainsi ce courant de la pensée alchimique remontait à ses origines et devait retrouver une signification capitale, alors que le système alchimique tout entier allait se désagrégeant.

Le début de l'Age de Raison sonna le glas de l'alchimie. Quel être capable de raisonner pouvait accepter sans discussion d'étranges théories remontant au Moyen Age ? Comment interpréter les symboles des dragons verts et du serpent dévorant sa propre queue ? Les savants du temps se plongeaient dans les études classiques ; mais il ne leur venait pas à l'esprit que les dieux de l'Olympe, ou Médée, la magicienne, pouvaient représenter des forces de la nature. Ils faisaient une nette distinction entre la science et les lettres, et le principal mérite des classiques, à leurs yeux, était de leur apprendre à manier leur propre langue avec plus d'élégance et de précision. Les noms grecs qu'ils donnaient par analogie aux substances chimiques et aux différents états des corps n'avaient plus aucun contenu philosophique ou alchimique. Il n'existait donc plus aucune raison pour que des hommes à l'esprit scientifique accordent du crédit à l'alchimie.

Par contre les doctrines philosophiques imprégnées de magie, mesmérisme, cartomancie, occultisme rencontraient un succès sans précédent. De telles doctrines relevaient, jusqu'à un certain point, de l'alchimie, mais dans la plupart des cas n'arrivèrent jamais à s'imposer comme des systèmes cohérents. Elles évoquent bien plutôt l'ultime image du château de Khunrath où l'adepte, après avoir cherché sa voie dans les ténèbres, se trouve placé devant plusieurs chambres qui toutes exercent sur lui une véritable fascination, qui toutes donnent accès à d'autres chambres représentant un autre mode de pensée, mais qui ne donnent jamais directement accès à l'étroite passerelle menant à la Vérité. Les membres de certaines sectes cherchaient à parvenir à un état extatique par les pratiques qu'employaient par exemple les moines de Medmenham qui s'adonnaient à la magie noire. D'autres se tournaient vers la mystique. On peut en donner pour exemple les étranges vigiles de Sir Francis Dashwood et de ses trois compagnons qui, au haut de la tour de l'église domaniale, se livraient à la méditation et à d'occultes invocations de symboles ; elles auraient, paraît-il, libéré certaines forces mystérieuses qui à leur tour précipitèrent la Révolution française. Rares

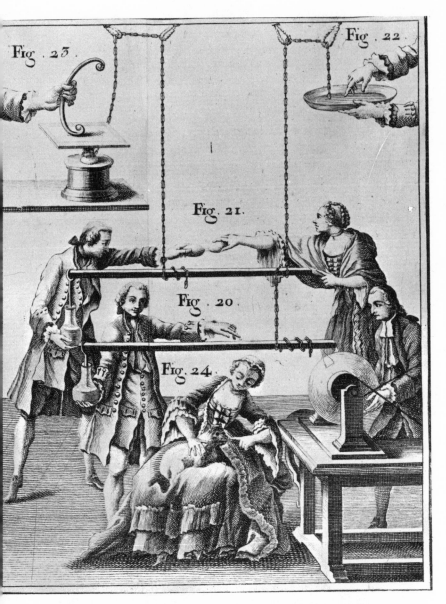

Expérience de physique de l'abbé Nollet. Gravure du XVIIIᵉ siècle.

semblent être ceux qui, au cours de cette période de profonds brassements, comprirent qu'il existait une religion occulte dont les adeptes étaient les alchimistes. Des adeptes qui préféraient, d'ailleurs, rester dans l'ombre.

Que Cagliostro et le comte de Saint-Germain aient sillonné aussi bien les pays d'Europe centrale que ceux d'Europe occidentale, plus évolués, est un fait qui mérite d'être noté. Ils parcoururent des régions où l'alchimie était tenue en grand honneur. Les voies secrètes qu'ils empruntaient pour se rendre du palais d'un prince épris de magie à un autre sont celles qu'emprunta la Pierre philosophale sous forme de poudre. L'or alchimique fut peut-être à l'origine de leurs richesses aussi surprenantes qu'inexplicables, mais peut-être aussi les devaient-ils aux membres opulents de quelque confrérie.

Les rites, obscurs et secrets, s'incorporèrent peu à peu à une « Trinosophie » teintée d'un égyptianisme dû non à d'antiques traditions, mais aux découvertes effectuées dans les ruines de Memphis et de Thèbes par les archéologues qui accompagnèrent Napoléon dans sa fameuse expédition. Détail amusant, dans la *Trois Fois sainte Trinosophie,* la sibylle, ou prophétesse, le torse nu, porte en tout et pour tout une courte jupe, de hautes bottes et les cheveux flottant sur les épaules. Nous trouvons là une imitation volontaire du pseudo-style gréco-égyptien, reflet d'un profond courant qui devait se manifester avec plus d'élégance un siècle et demi plus tard.

On ne trouve plus, en alchimie, au cours de cette période, de charlatans de quelque importance. Le mot même d'alchimie suggère l'image romantique, mythique même, d'un sorcier. En réalité c'est de visions telles qu'en connurent Emmanuel Swedenborg, et plus tard William Blake, que l'alchimiste tirait ses propres théories. Leurs disciples établirent le lien entre leurs théories et celles d'hommes tels que Freiherr, Böhme et Khunrath, plus directement concernés par l'alchimie.

Le changement fut brutal. On chercha de moins en moins à fabriquer de l'or. Quelques initiés perpétuèrent en secret la tradition, mais plutôt dans les pays arabes qu'en Europe. Par leurs conceptions, ces initiés appartenaient à un monde révolu. Les Européens suivaient la voie du symbolisme et de la méditation qui menaient aux visions. Celles-ci, à leur tour, apportaient à l'esprit des connaissances nouvelles et préparaient l'âme à sa transmutation par une illumination venue d'en-haut.

A la fin du XVIIIe siècle, un esprit philosophique concevait l'enseignement alchimique comme l'expression du besoin qu'éprouvait l'homme d'une union toujours plus étroite avec Dieu, dans l'espoir qu'Il répondrait à sa quête par une illumination venant d'en haut. Ce n'était plus tant les symboles matériels que l'on recherchait, non plus que le spectacle des mystères qui se déroulaient dans les fours et alambics du laboratoire, mais bien plutôt à percer les secrets de l'âme après l'avoir purifiée en la passant au feu de l'adversité. Les symboles des planètes et des métaux furent dès lors ceux des étapes d'une marche ascendante vers l'illumination.

Nous ne pouvons pas dire de l'alchimie qu'elle avait cessé d'exister ; elle avait subi une profonde transmutation. Jung a vu dans ce processus une projection de la conscience que prend l'être humain de la psyché. L'alchimiste éprouvait de plus en plus de peine à associer le processus de l'individuation aux substances chimiques traitées dans le laboratoire. Le but de ce processus était d'unir la *materia prima,* c'est-à-dire l'Inconscient collectif, que nous partageons tous jusqu'à un certain point, et qui n'est limité ni dans le temps ni dans l'espace, à l'inconscient personnel et à la petite lueur du conscient jusqu'à ce que l'homme, ayant atteint à la parfaite intégration de sa personnalité, en soit illuminé. Ce n'était pas là, à l'époque, un but accessible à tous, et ce ne l'est pas davantage aujourd'hui. Néanmoins, l'aspect personnel de l'expérience alchimique fut plus largement perçu par ceux qui la tentaient ou qui, dans le cas des patients de Jung, se voyaient obligés par les circonstances de suivre la longue et périlleuse route qui les mènerait à l'unité.

Les mystères de l'Œuvre alchimique sont bien loin d'être tous éclaircis, car nous sommes aujourd'hui encore dans l'incapacité de fournir une explication rationnelle de certains de ses aspects, tels par exemple que les quelques rares cas de matérialisation d'or et d'argent d'une grande pureté.

Cependant, des ténèbres qui enveloppaient encore, au XIXᵉ siècle, l'alchimie, allait jaillir une lueur qui en éclaircirait les mystères. L'interprétation psychologique qu'on en donnait n'était pas nouvelle. Elle était contenue implicitement dans l'alchimie dès ses débuts, mais elle allait acquérir une clarté toujours plus grande. La lumière cachée qui illuminait l'adepte allait s'accroître en même temps que s'accroissait l'unité de la personnalité humaine. Nous sommes ramenés une fois de plus au lien qui unit le microcosme au macrocosme, nouvelle interprétation de ce « fluide » dans lequel baignaient, croyait-on, toutes les particules de l'univers.

CHAPITRE X

Descente aux profondeurs

O N ne peut se pencher sur les travaux des alchimistes sans être frappé par leur foi en la nécessité absolue de répéter indéfiniment la même opération. Ils s'attendaient, en la répétant, à obtenir un résultat essentiellement similaire, mais il semble qu'ils arrivaient, en opérant ainsi, à un point où brusquement s'effectuait un changement important. Peut-être se produisait-il, à l'intérieur du vase scellé posé sur le fourneau, une infinitésimale altération de substances, à chaque fois un peu plus raffinée. Ces alchimites voyaient là une sorte d'intervention. Les contraires qu'il s'agissait d'unir étaient toujours les mêmes, mais soudain, après cette ultime expérience, ils se sublimaient. Les alchimistes d'aujourd'hui espèrent-ils recevoir, dans un proche avenir, une telle illumination, voilà qui est bien difficile à dire.

Au début du XIXᵉ siècle, sous l'influence d'un Swedenborg et d'un Freiherr, certaines doctrines philosophiques contenaient encore un message alchimique. Le monde fantastique d'un William Blake, ce visionnaire, offrait avec elles quelques affinités, bien qu'il créât, par ses visions,

William Blake, illustration pour La Divine Comédie. *1820.*

sa propre mythologie. Cependant, dans leur majorité, les gens de cette époque ne voyaient pas pour quelle raison l'homme civilisé aspirerait à se purifier, ou à fabriquer de l'or. L'expansion de l'industrie réclamant des capitaux toujours plus importants, c'est aux banquiers et aux actionnaires qu'on les demandait et non, comme le faisaient les princes des époques précédentes, à des « faiseurs d'or ». A la plupart des gens qui vivaient en cette ère industrielle, cette quête de la spiritualité alchimique devait paraître un véritable non-sens. La religion chrétienne posait déjà assez de problèmes sans que l'on s'embarrassât encore de secrètes et mystérieuses doctrines. Celui qui voulait suivre la tradition alchimique devait d'abord s'assurer qu'il possédait les qualités exigées d'un adepte, puis s'engager sur la longue et difficile voie qui le mènerait à la purification.

Nous devons au mouvement romantique du début du XIXe siècle des livres emplis d'une aimable fantaisie. L'alchimiste y devient un personnage mystérieux et romantique qui devait enchanter le lecteur, mais rien de plus. Par contre, des romans tels que *Frankenstein,* par exemple, éveillèrent un certain intérêt pour l'occultisme. On était bien loin des études sérieuses et des graves propos des philosophes hermétiques. Mais cette Europe commerçante gardait encore le souvenir d'un passé plus attrayant et plus coloré. Nous en avons un exemple frappant avec le docteur Faust, ce personnage semi-légendaire auquel Gœthe, dans une œuvre littéraire magnifique, donna une vie nouvelle.

Gœthe était en bien des points un disciple des philosophes alchimistes. Dans les années 1768-1769, au cours d'une maladie, il se plongea dans la littérature alchimiste, et lut entre autres les œuvres de Swedenborg et de Paracelse. Il avait envers la science l'attitude de celui qui·cherche l'unité dans l'Univers. Sa pensée, à la fin de sa vie, se rapprocha singulièrement de la conception alchimique, c'est-à-dire la vie représentée comme la perpétuelle attraction, puis séparation, puis réunion, de forces en apparences contraires. Pour lui la vie qui animait la nature tout entière n'était autre que l'expression de l'essence unique de Dieu. Son *Stirb und werde!* correspond au principe alchimique de la *materia prima* qui doit mourir pour renaître au cours du processus, sous une forme plus élevée. Nous trouvons, dans la dernière version de *Faust,* l'aboutissement du processus qui se déroule dans l'âme même du poète philosophe. Nous voyons apparaître le monde étrange d'un très vieil occultisme, avec ses dangers, ses obscurités et ses pièges redoutables que seul l'initié peut éviter. Que Faust ne soit plus ce voyageur, ce comploteur qui, errant aux portes de Tübingen, extorque de l'argent aux étudiants, donne la mesure de ce drame. En effet l'histoire d'un individu devient

Delacroix, illustration pour le Faust *de Goethe. 1818.*

le drame d'une grande âme victime de magiques artifices qui ne peuvent le mener qu'au désastre final.

En énonçant cette pensée philosophique que c'est en lui-même que l'homme doit chercher son salut, Gœthe suivait l'occulte tradition venue du fond des âges, et qui devait retrouver une vie nouvelle avec les progrès, au XXᵉ siècle, de la psychologie.

Il est certain que quelques rares alchimistes continuèrent d'œuvrer en secret et que, dans des officines, l'ancien processus alchimique ne fut jamais totalement abandonné, mais il est peu vraisemblable que nous en apprenions beaucoup sur eux. Ils assurèrent, sans le savoir, une sorte de continuité jusqu'à ce que se manifeste un nouvel état d'esprit qui permit que leur étrange science fût à nouveau et ouvertement discutée.

Le milieu du XIXᵉ siècle vit surgir de nombreuses sectes occultes et religieuses. La tension imposée à une société nouvelle devait fatalement aboutir à cette forme de libération. L'homme cherchait à nouveau un sens à la vie ; inégalités sociales, foi chancelante rendaient cette quête impérieuse. Mais se débarrasser de préjugés périmés exige de la peine et du temps. Les communautés religieuses adoptèrent envers leurs membres une attitude plus charitable. Il ne faut pas oublier cependant que l'encyclique *Rerum novarum,* qui traitait de la justice sociale dans une Europe chrétienne, fut précédée par les douloureuses luttes de classes qui aboutirent au *Manifeste communiste* et à la Commune de Paris. Comment s'étonner alors que l'on ait cherché aux problèmes humains des solutions purement matérialistes ? Un réveil religieux, le spectaculaire assaut que mena l'Armée du salut contre les injustices sociales trouvèrent un profond écho parmi les masses. Grâce à l'instruction obligatoire, bien des esprits s'éveillèrent et accédèrent à la culture. Les classes moyennes, à l'abri du besoin, se découvrirent des intérêts nouveaux. Cela se traduisit par un engouement pour les cultes ésotériques ; les Théosophes s'inspirèrent de doctrines d'Extrême-Orient ; les Spirites se livrèrent à de très anciennes expériences, et un visionnaire fonda une nouvelle secte religieuse, celle des Mormons. Tout cela traduisait le besoin de spiritualité qu'éprouvait l'homme à une époque où le machinisme remettait en question l'avenir de l'humanité.

L'alchimie ne pouvait jouer un rôle important dans la période chaotique qui précède toujours les grands bouleversements sociaux. Jusque-là, systèmes philosophiques et règles de vie avaient été l'apanage de quelques élus. Les alchimistes se recrutaient principalement parmi les hommes d'étude, et rares étaient les profanes qui arrivaient à l'alchimie par illumination. Non, décidément, l'art hermétique n'était pas accessible à la masse, et ce n'est pas un hasard si les traités d'alchimie étaient confus, contradictoires et obscurs. On retrouvait le reflet de la pensée alchimique

Les « Sacconi » de Rome. Gravure du XIXᵉ siècle.

dans nombre de sectes religieuses qui cependant se défendaient de faire renaître un très ancien culte ouvertement renié par les chimistes et les physiciens pour qui il ne représentait guère autre chose qu'un conte de fées. Il s'était produit une sorte d'éparpillement des idées philosophiques exprimées par les alchimistes des époques antérieures. Il semble que certains adeptes aient, dans des régions lointaines, perpétué le côté expérimental de ce culte ; mais seuls quelques occultistes étaient au courant de leurs travaux. C'est principalement dans les communautés islamiques que l'on trouvait encore des alchimistes traditionnels. Ils travaillaient selon d'anciennes méthodes, dans le secret, et avec une rare obstination. Les doctrines philosophiques, par trop abstruses, n'attiraient que de rares adeptes, et cependant elles conservaient vie et prestige. Par contre, dans une Europe toute tournée vers les progrès du machinisme et de la technique, elles ne rencontraient plus aucun écho. Il se peut cependant que, dans certains pays, la tradition se soit perpétuée, particulièrement parmi les savants docteurs juifs qui se vouaient à l'étude de la Kabbale. Cela est peut-être vrai, mais les études kabbalistiques ne traitent pas nécessairement d'alchimie. Parce qu'elles étudient avant tout la nature des rapports de Dieu avec Sa Création, elles ont, sur le plan intellectuel, certains points communs avec l'alchimie.

En cette période assez sombre du XIXᵉ siècle, le meilleur ouvrage traitant de l'alchimie, *A Suggestive Enquiry into the Hermetic Mystery,* fut publié à Londres en 1850, bien que l'auteur, Mary Anne Atwood (née South), eût retiré de la circulation le plus grand nombre possible d'exemplaires, soit qu'elle les eût rachetés, soit qu'elle eût imploré ses amis de les lui restituer. Il ne faut pas voir dans ce geste le reflet d'un scepticisme général envers l'alchimie, mais bien plutôt la crainte qu'éprouvait l'auteur,

A ſoit que pour la pꝛoduction et
formacioŋ du coꝛps humam tous
coꝛps celeſtes elemens et qualitez y
ouurent pour luy donner et departir
comme a vng aultre pandoꝛe mai
tes choſes ſingulieres pour et affiŋ
quil ſoit digne ſuffiſant et pꝛepaꝛe domicile et rece
ptable dune tielle et diuine foꝛme que eſt lame ra
ſonnable qui quiert eŋ luy repos paix de beaultte e t
variacioŋ pour ſoy eſbatre et eſiouyꝛ touteffoís lame
tieŋt tielle auctoꝛite et puiſſance ſur luy ce noŋ obſti

Gravure illustrant le Traité de la cabale *de Jean Thénaud. XVIᵉ siècle.*

entrée en possession d'un grand secret, de l'avoir de façon irréfléchie en partie révélé. Elle se refusa désormais à aborder ce sujet bien qu'elle ait vécu jusqu'en 1910, année où elle mourut à l'âge de quatre-vingt-dix-sept ans. Pour elle l'alchimiste ne poursuivait d'autre but secret que la purification de son âme ; et ceux qui s'engageaient dans la voie secrète devaient trouver en eux-mêmes le moyen d'y parvenir. S'ils entreprenaient avec trop de légèreté de telles études, ils couraient au-devant d'un échec. Mary Anne Atwood fit sienne cette règle très ancienne que l'Ouvrier et son Œuvre ne faisaient qu'un. Si l'ouvrier ne se trouvait pas dans une disposition d'esprit favorable, il pouvait en résulter de grands maux.

Ne voyons-nous pas comment une force nouvelle et miraculeuse — l'énergie atomique —, détournée de ses buts par des hommes politiques et des militaires, fait peser sur le monde la menace d'une totale destruction ?

L'ouvrage de Mrs. Atwood comble le vide qui s'étend entre les alchimistes des temps passés et ceux qui étudient leurs œuvres. Pour autant que nous le sachions, elle ne s'intéressa à l'alchimie que du point de vue historique et littéraire et n'effectua jamais d'expériences. Son père, Mr. Thomas South, de Gosport, homme à l'esprit philosophique, s'intéressait à l'étude des religions et aux philosophes de l'Antiquité. Il s'était constitué une importante collection d'ouvrages rares traitant de ses sujets favoris, qu'il enrichit encore lorsque son intérêt se porta sur l'histoire de la tradition hermétique. Il avait parfaitement perçu qu'il n'existait pas de solution de continuité entre la tradition de la connaissance secrète des anciens Mystères et celle, tout aussi secrète, des alchimistes. Dès son enfance, sa fille partagea ses travaux et acquit une solide connaissance du grec et du latin ; elle lui fut d'une grande aide dans l'établissement de l'index indispensable à la classification des connaissances anciennes. Se plongeant dans de savantes lectures pour établir ledit index, il lui apparut que sous le fatras de grimoires remontant aux temps les plus anciens et au Moyen Age, on percevait la connaissance d'une très ancienne doctrine sur le rapport de l'âme avec les forces divines, qui permettait d'atteindre à l'illumination spirituelle.

Il semble qu'arrivée à un point de ses études touchant aux branches toutes nouvelles, à l'époque, qu'étaient le spiritisme et l'hypnotisme, elle se soit rendu brusquement compte que ces pratiques, qui en apparence ne menaient nulle part, étaient en relation étroite avec le passé. Mary Atwood publia alors un essai intitulé *Early Magnetism in it Higher Relations to Humanity as veiled in the Poets and the Prophets*. Paru sans nom d'auteur, il n'en fit pas moins sensation dans les cercles qui s'intéressaient encore à l'étude des croyances extatiques. Ce petit essai semble avoir été écrit sous l'empire d'une brusque révélation du lien existant entre le passé et le présent, accompagnée d'une vision lumineuse, ce que les mystiques appellent une illumination.

En quelques années, miss South avait poussé assez loin ses études pour achever, à l'âge de trente-sept ans, son œuvre maîtresse, *A Suggestive Enquiry into the Hermetic Mystery*. Déjà une centaine d'exemplaires avaient été vendus lorsque Mr. South et sa fille furent pris de panique. Tous les exemplaires récupérés, ainsi qu'un long poème manuscrit de Mr. South ayant pour thème l'alchimie, furent immolés sur un bûcher sacrificatoire dressé sur la pelouse de leur maison de Gosport. Ils n'en continuèrent pas moins, après cela, à faire la chasse aux exemplaires encore en circulation, mais il en subsista suffisamment pour qu'en 1960, à New York, les Julian Press puissent rééditer cet ouvrage.

Après cette immolation de leurs œuvres, les deux écrivains n'apportèrent plus guère de contribution à la littérature alchimique. Ils préféraient laisser les mystères dormir en paix. Nul doute qu'à l'époque ils aient eu raison d'agir ainsi. Comme l'écrivit plus tard l'auteur, devenue l'heureuse épouse du Révérend A.T. Atwood, le nombre toujours croissant de charlatans et d'imposteurs rendait impérative la destruction d'un livre qui risquait de tomber entre des mains indignes. Il semble que Mr. South et sa fille aient fait des découvertes qui les auraient terriblement impressionnés. C'est à peu près tout ce que nous en savons.

Le livre lui-même était fait d'une suite de textes, de sources et des périodes diverses. La présentation des documents en faisait la nouveauté. On y trouve des traductions de textes anciens, que miss South eut soin de relier entre eux par des analyses critiques de façon à former un ensemble cohérent. A la fin de sa vie, elle estima que son livre, mal construit, n'avait pas atteint le but recherché, c'est-à-dire donner une idée générale de grandes lignes de la philosophie alchimique. En cela, elle voyait juste ; cependant cet ouvrage est un excellent guide qui permet au lecteur de percevoir l'unité de pensée dans l'enseignement hermétique aussi bien antique que médiéval. En de nombreux points miss South semble avoir pressenti l'étude psychologique que devait consacrer, un siècle plus tard, C.G. Jung à l'alchimie. Il lui était apparu clairement que les alchimistes n'avaient d'autre but que de parvenir à cet état d'illumination où, ne faisant plus qu'un avec l'Univers, ils se sentaient en union étroite avec Dieu. Et elle avait également compris ce qu'entendaient les adeptes lorsqu'ils répétaient que c'est en soi-même que l'on trouve la voie menant à l'illumination.

Il ne fait aucun doute que les premiers contacts qu'eut Mrs. Atwood avec des cercles de spirites et des adeptes du

mesmérisme la rendirent plus sensible au côté spiritualiste
de la philosophie alchimiste. Familiarisée avec les phénomènes qui se produisaient au cours de séances, elle
n'ignorait rien des curieux états de transe et d'hypnose si
souvent attribués, dans les anciens temps, soit à une intervention divine, soit à une emprise du démon. Le lien avec
le monde antique lui apparaissait clairement, mais peu de
ses contemporains possédaient sa connaissance approfondie
de la littérature hermétique. Il lui apparaissait tout aussi
clairement qu'il serait dangereux de laisser ce pouvoir
tomber aux mains d'un disciple qui en ferait un mauvais
usage. Pensait-elle au mesmérisme ? Avait-elle fait quelque
découverte sur la nature de l'esprit humain et sur la source
d'extraordinaires révélations que peut être l'inconscient ? Ou
encore avait-elle, par une véritable anticipation, entrevu
l'horreur d'une transmutation utilisée à des fins destruc-

Un alchimiste. Tableau d'Isabey.

trices ? Cela nous le saurons probablement jamais. Quoi qu'il en soit, Mrs. Atwood nous a laissé, sur la philosophie alchimique, un ouvrage d'une grande valeur qui, de plus, contient de nombreuses et précieuses citations tirées d'œuvres spécialisées provenant de la magnifique bibliothèque de son père.

Ainsi que l'avait pressenti Mrs. Atwood, que ce soit en Europe ou en Amérique, les études alchimiques marquèrent un temps d'arrêt. Les louches activités de trop nombreux charlatans entravaient les travaux de spiritualistes convaincus. Dans le monde entier, à cette époque, triomphaient des doctrines matérialistes. Les hommes de science étaient aussi esclaves de lois immuables que la congrégation d'un couvent, de la règle monastique. Ils devaient se rendre compte plus tard que ces lois prétendument immuables en renfermaient d'autres aux imprévisibles conséquences. Ce ne fut pas sans de longs et pénibles efforts que le monde civilisé émergea de l'obscur tunnel du siècle. Dans le

domaine de la morale, on s'efforça de concilier un système social puritain avec les exigences de l'instinct sexuel, et l'on aboutit à d'étranges compromis. Cela ne pouvait rien donner de bon, mais on n'en prit conscience que le jour où Sigmund Freud commença de trouver une explication valable aux dépressions nerveuses dont souffraient tant de gens, même dans la Vienne joyeuse et cultivée de l'époque. Pieux fanatiques, fondateurs de nouvelles sectes religieuses étaient-ils victimes des étranges manifestations de leur subconscient ? Des gens rêvaient tout éveillés, étaient en proie à des hallucinations et se comportaient d'étrange manière lorsque affleurait ce que l'on crut d'abord être le contenu d'une sorte de poubelle où le conscient avait refoulé des pensées insupportables, ou immorales.

Nous nous rendons compte maintenant que les Anciens passaient par des états psychiques révélateurs de leurs névroses. Freud, s'appuyant sur la base solide de situations parallèles, donna des noms à certains des complexes qu'il découvrit chez les héros des légendes classiques dont le comportement présentait des caractéristiques similaires. Un complexe n'est autre qu'un faisceau d'idées latentes qui, échappant au contrôle de l'intellect, dominent la personnalité du patient. C'est ce que l'on appelait autrefois être possédé du démon ! Peut-être les illusions que nourrirent, quant à l'or, tant d'alchimistes provenaient-elles, elles aussi, d'un faisceau d'idées plus ou moins latentes qui, en raison des processus de leur art et de l'imagerie dont ils le revêtaient, était devenu un immense complexe d'affabulation.

Déjà on voyait poindre des idées nouvelles et de nouveaux modes de pensée. Il était désormais possible d'adopter un comportement neuf envers les étranges relations d'expériences alchimiques. L'alchimiste courait peut-être le danger de se voir invité à se détendre sur le divan du psychanalyste et à lui faire part des associations d'idées qu'évoquaient pour lui certains mots, mais cela valait tout de même mieux que d'être pris pour un nécromancien, ou un imposteur. D'ailleurs on faisait montre envers un être bizarre ou excentrique de plus de tolérance. Le psychanalyste guérissait nombre de patients de leurs inhibitions et les libérait de la tension sexuelle que provoque chez l'homme civilisé une trop sévère contrainte.

La science voyait désormais en l'alchimiste un ancêtre respectable ayant erré dans les méandres d'hypothèses erronées. Les savants n'accordaient pas plus d'importance au côté spirituel de l'alchimie que les psychologues à la fabrication de l'or alchimique et à la signification secrète des élixirs de transmutation. Nous nous trouvons à nouveau devant des opinions contraires, en apparence irréconciliables. Si le processus de réconciliation est loin d'être accompli, il a pris de nouvelles et intéressantes dimensions grâce aux travaux de C. G. Jung qui fut un temps le disciple de Freud. Toute la question était de savoir si notre subconscient n'était que le réceptacle d'inutilisables rebuts, ou s'il constituait en réalité la base fondamentale de notre personnalité. Nos rêves n'étaient-ils que l'expression déguisée d'un érotisme que nous n'osions pas nous avouer à nous-mêmes, ou fallait-il y voir la marque d'une progression de notre processus vital offrant de frappantes similitudes avec l'alchimie ?

Sigmund Freud.

CHAPITRE XI

L'abîme intérieur

QUE l'alchimie obéisse à une sorte de discipline religieuse ne fait aucun doute. La philosophie qui s'en dégageait conduisait l'alchimiste à mener une vie austère et dépouillée. La fortune pouvait lui venir, mais ambitionner cette fortune était un frein à sa progression. C'est d'En Haut qu'il recevait l'illumination. Au cours des expériences se produisaient des réactions chimiques qui exerçaient un curieux effet sur celui qui les observait. Dragons et lions, couple royal, métaux symbolisés par des planètes, tout cela relève de la littérature alchimique, et ne paraissait évidemment pas sous cette forme dans les alambics et les creusets de l'officine. Mais il y avait là plus qu'une simple association d'images, et plus aussi que les figures mouvantes que dessinent les flammes. Toute cette imagerie constituait la mythologie même des alchimistes. Les figures variaient au cours des scènes qui se succédaient et même, jusqu'à un certain point, ces scènes elles-mêmes, mais figures et scènes fondamentales, revenaient toujours, et les termes employés pour les décrire n'offraient que peu de rapports avec les réactions observées.

Il fut possible, au XXᵉ siècle, d'analyser ces obscurs symboles et de leur découvrir un sens, grâce aux travaux de C.G. Jung qui en retrouva l'écho dans les rêves et les rêves éveillés de certains de ses patients les plus évolués. Ils appartenaient à une sorte de mythologie issue de caractères inhérents à la personnalité.

Les découvertes de Jung ne s'appliquent pas au côté matériel de l'alchimie, pas plus qu'elles ne permettent d'expliquer les quelques rares cas où des résultats tangibles furent obtenus dans des circonstances qui nous sont connues. Néanmoins eux aussi entrent dans le cadre des synchronismes que Jung étudia en tant que faits, sans par ailleurs en donner une explication rationnelle.

La voie empruntée par l'alchimiste était de toute évidence celle d'un être intelligent passant par de nombreuses étapes pour parvenir à la connaissance de son âme. Comme ne cessèrent de le répéter les plus célèbres alchimistes, c'était là le véritable but de leur art ; il ne fait aucun doute que les anciens cultes ésotériques, d'où les premiers alchimistes tirèrent leurs doctrines, visaient eux aussi à la purification de l'âme.

Si le nombre des alchimistes fut toujours limité, et s'ils ne se souciaient guère de s'associer dans leurs travaux, ils n'en défendaient pas moins avec ardeur leurs théories. La position quasi identique qu'adoptèrent les plus importants d'entre eux démontre que leur art mystique possédait une puissante structure de base.

Conditionnée par la tradition, seules ses formes extérieures changeaient grâce aux perfectionnements techniques des appareils. L'ancien *kerotakis* avait fait place aux éprouvettes et aux alambics ; le petit feu de charbon de bois à des fourneaux perfectionnés. Ce fut plus tardivement que l'on compliqua et enrichit le sens que l'on prêtait par tradition au processus alchimique. Sans doute les premiers alchimistes

Planches du Liber fornacum *de Geber. 1572.* ▶

trouvaient-ils l'enseignement hermétique suffisamment compliqué à leur gré.

Cette doctrine était chargée d'un contenu émotionnel si puissant que si nombre d'alchimistes se ruinèrent dans de folles entreprises, aucun d'eux ne le regretta. Seuls ceux qui n'aspiraient qu'à fabriquer de l'or maudirent leur sort et abandonnèrent leurs recherches. Les vrais alchimistes trouvaient vaine la poursuite des biens matériels et s'estimaient comblés si leur était imparti le mystérieux pouvoir de transmutation. Ils se vouaient entièrement à leurs recherches, mais le mystère restait si grand qu'ils ne pouvaient y initier leurs disciples. Ils avaient parfaitement conscience que cette connaissance à laquelle ils aspiraient ne devait être divulguée qu'avec discrimination. C'était là un mystère insondable tel qu'en renfermait la Kabbale elle-même. Le percer, c'était comprendre comment avait été créé l'univers ; comment le centre et la circonférence ne font qu'un, et comment toutes choses sont en relation étroite avec l'unité intérieure de la matière.

Il est probable que les expériences effectuées selon les rites gréco-égyptiens dans le *kerotakis* incitaient l'initié à concentrer sur le processus alchimique sa propre vision du monde. De la projection du processus alchimique et des rites extatiques du culte dionysiaque se dégageaient des archétypes de formes très différentes. Et cependant tous deux visaient à la paix de l'âme et à l'illumination. Il en est de même pour les actuels adeptes de la psychédélie. Ce à quoi ils visent, c'est à l'illumination intérieure, même s'ils n'y voient qu'un jeu de l'esprit, et non une descente au plus profond et au plus secret d'eux-mêmes.

Nous ne pouvons évaluer selon nos normes actuelles les résultats auxquels parvenaient les alchimistes des temps passés. Ils semblent avoir atteint à la sérénité et avoir cherché, par la modestie de leur mise, à passer inaperçus.

La Sirène des Philosophes. Gravure de 1659.

Ce sont les imposteurs et les charlatans qui excitèrent la verve des poètes et des dramaturges.

Les illustrations nous éclaireront sur la nature des mythes qu'ils élaborèrent d'après les matériaux archétypes libérés au cours de leurs expériences. Une de leurs plus enivrantes aventures fut, dès le début, de découvrir que la lune s'appariait à leur soleil. Symbolisée par l'argent le plus pur, elle représentait la partie féminine de leur œuvre et s'opposait en toutes choses au pouvoir actif du soleil. Si le processus était réellement une descente au plus profond de l'être, alors elle devenait pour l'alchimiste l'équivalent-de l'*anima*.

Elle est au début une terrifiante créature, qui apparaît souvent sous les traits de Mélusine. Moitié bête, moitié femme, il se dégage d'elle un charme extraordinaire, mais elle peut aussi se montrer redoutable quand sauvagement elle exhibe sa vulve, non comme un havre de délices, mais comme un lieu de terreur et de destruction. Elle n'eût pas revêtu cet aspect si les alchimistes avaient eu une vue plus juste de la place qu'occupait la femme dans leur univers. Mais il faut bien entendu y voir un des premiers stades de la manifestation des contraires dans la nature. On la retrouve dans toutes les légendes du monde. Elle représente en réalité la terre qui dévore les morts et donne vie aux nouveau-nés. Sombre source de vie, elle est considérée par les peuples primitifs comme une redoutable déesse et par les sages de l'Antiquité comme la mère de toutes choses.

Cette terre, naturelle, et cependant effrayante, doit être placée dans le vaisseau, puis sur les eaux, pour être purifiée par le feu. Paraissent alors le soleil et la lune resplendissant et se reflétant dans les eaux de la Création (c'est-à-dire les vapeurs qui se dégagent du liquide en ébullition). Ces nouvelles substances sont pareilles à des enfants. Elles sont dotées de la vie et du pouvoir créateur de par les souffrances de leur mère délivrée par le dragon. Elles sont alors distillées, puis redistillées. L'adepte se rend compte, maintenant, qu'elles doivent être détruites, tout comme doivent l'être ses rêves de jeunesse. Il s'assure que fragmentation et calcination aboutissent à une fine poudre blanche. Le tout est transformé par la totale destruction de la vie qui pourtant refleurira à nouveau. La braise rougeoyante a encore forme humaine. Cendre, elle est alors placée sur un navire qui cingle vers les sombres mers d'une destination inconnue. Mercure est son pilote. Cette cendre reprend forme humaine et l'homme nouvellement né, purifié ou distillé, issu de la putréfaction de la terre, atteint à son état le plus parfait. Au

Putréfaction. Illustration du XVIIe siècle.

cours de son long périple dans le vaisseau voguant sur les sombres eaux, la *materia prima,* purifiée, est soumise, à plusieurs reprises, à une lente et douce cuisson, traitée par des acides tel le Dragon Vert, ou acide chlorhydrique, ou encore épurée à l'aide d'un distillat de plantes, ou alcool, les planètes entourant le souffrant, et chacune d'elles représentant également les émanations métalliques centrées sur une vie nouvelle, ce composé de toute vie. On peut rapprocher cette allégorie de la renaissance par le feu d'un nouveau phénix né de l'œuf déposé par l'ancien phénix réduit en cendres.

C'est alors que s'unissent le nouveau Mercure et la nouvelle Vénus. Le soleil et la lune par une étroite union mènent à la perfection la vie du cosmos, tous deux purifiés et couronnés de l'or le plus pur. Le fils qui naît de cette union n'est autre que le splendide Mercure androgyne ; il est porteur de la vie et du changement, car il est également le guide des âmes. Cependant à peine apparaît ce merveilleux enfant qu'il est saisi par le temps. Car le temps est le père du monde, et les mouvements de ses enfants planétaires leur sont dictés par le temps. Finalement Kronos, leur père, dévore ses enfants planétaires, et c'est la fin du jardin d'Eden. Dans les manuscrits ultérieurs, ce jardin est souvent représenté sous forme d'une pelouse carrée bordée de hauts buissons, avec au centre un bassin carré où se baignent nus, au pied de l'arbre de vie, les personnages de la vision. Cet arbre cependant remonte à des temps très anciens, car Mélusine y figure souvent, jaillissant de la tête de la femme et du pénis de l'homme. C'est l'arbre de vie comparable à Ygdrasil qui relie le golfe de Nifelheim au monde glorieux du Walhalla.

Mais à nouveau se pose le problème de l'accession à un nouvel état, car ce magnifique pays de rêve n'est pas la réponse au mystère, mais symbolise simplement la beauté de l'univers dans son ineffable harmonie. Ainsi l'humanité doit entreprendre le voyage vers l'infini, ou achèvement, et c'est seulement lorsque Kronos dévore l'enfant que s'ouvre la voie vers l'unité. Pénible est ce voyage. Il est généralement représenté comme une suite d'étapes complexes jusqu'à un lieu où le voyageur découvre qu'il n'a pas encore achevé sa route. Ce voyage, on ne peut l'entreprendre sans aide, et c'est alors que l'âme comprend pleinement que la *materia prima,* la matière dont est composé l'univers, se trouve aussi au plus secret, au plus profond de l'être qui en a la brusque illumination. Cette illumination, c'est une

La sphère ailée. Frontispice d'un ouvrage de Balduin. 1675. ▶

lumière sans flamme, le buisson ardent qui ne se consume pas, le cœur même de la rose.

Quelle qu'ait été cette illumination, elle laisse une empreinte indélébile sur celui qui l'a reçue. Notre alchimiste est assuré d'être parvenu à l'ultime étape et d'avoir passé par tant de purifications successives qu'il est fait maintenant de cet or qui n'est pas l'or vulgaire. Il atteint alors à une douceur de caractère et à un détachement qui lui font oublier ses épreuves. Il n'est plus que calme et équilibre. Dénué de toute ostentation, il retourne à ses travaux. Il semble que c'est après avoir reçu encore jeune,

c'est-à-dire en pleine maturité, l'illumination, que lui soit accordée la possibilité d'effectuer l'acte matériel de la transmutation.

Nous en arrivons là au cœur même du problème que pose l'alchimie, cet art fait d'une suite de douloureuses épreuves qui ne sont autres que les expériences effectuées sur des substances matérielles. La peine prise, et le prix à payer pour que s'accomplisse l'œuvre deviennent de plus en plus lourds. Mais ce n'est pas là l'essentiel, car à la période alexandrine ni appareils ni substances n'étaient, au sens matériel du mot, d'une grande valeur, et dans les derniers jours de l'alchimie, il a été reconnu qu'il en allait de même de la Pierre philosophale, et que le processus qui, selon la tradition, s'étendait sur des années, était en réalité assez rapide. L'œuvre n'en continuait pas moins d'être accomplie dans un véritable laboratoire. Le désir impérieux de continuer de se livrer à des expériences dominait tout, et les rares alchimistes qui s'y vouaient encore étaient prêts à affronter ruine et disgrâce pour parvenir à la secrète connaissance.

Dans quelques cas, nous possédons la preuve qu'un curieux pouvoir permit, par des moyens en apparence simples, de transmuter des métaux vils en or. Ce phénomène défie toute explication. Ces expériences, répétées, donnèrent de bien maigres résultats. La véritable signification des étranges figures allégoriques, symboles de substances chimiques, nous a été révélée par les chimistes d'aujourd'hui. Il n'en est pas moins vrai qu'à un moment donné du processus, l'alchimiste, empli à la fois d'une surhumaine humilité et d'un extraordinaire pouvoir, a été brusquement en mesure d'aider un esprit bienfaisant à effectuer la transmutation du mercure, ou du plomb en or. Etant donné nos connaissances actuelles, cela relève de l'absurde. C'est là chose impossible à accomplir. Or l'alchimiste répond en

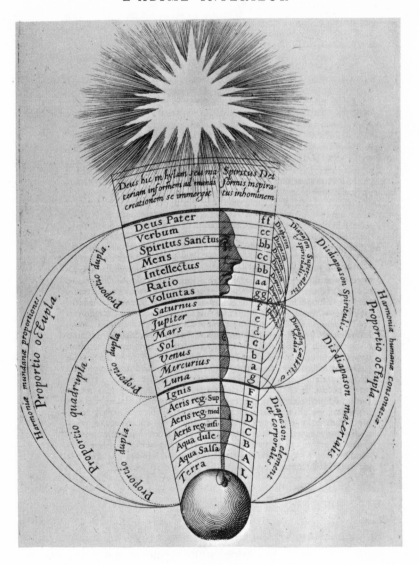

Illustration pour un ouvrage de Fludd. 1619.

toute simplicité qu'elle le fut, et par des hommes qui déjà n'y accordaient plus d'importance.

Les quelques expériences qui nous paraissent dignes de foi semblent n'avoir été effectuées que pour démontrer que les transmutations étaient chose possible. Helvétius n'avait guère d'autre raison, pour se livrer à son expérience, que la certitude qu'elle serait couronnée de succès. La quantité d'or ainsi obtenue était minime, la situation financière d'Helvétius, excellente, et la Hollande, à cette époque, en pleine prospérité. Nous ne retrouvons pas là les dons charitables d'un Nicolas Flamel et de son épouse, mais une pure et simple démonstration. Etait-ce là un dernier signe avant que le pouvoir miraculeux fût retiré à l'homme ? Ou faut-il y voir la volonté, pour l'alchimie, de se perpétuer jusqu'à ce qu'avec le temps l'humanité acquière de nouvelles connaissances ? Je laisse le soin à chacun de tirer ses propres conclusions.

L'alchimie avait-elle en elle-même un sens, une raison d'être ? Rien aujourd'hui, à ma connaissance tout au moins, ne nous permet de l'affirmer. Cet art très ancien eut l'immense mérite de conduire à l'intégration psychologique, mais cela méritait-il les immenses sacrifices consentis par les adeptes ?

S'il existe une explication de l'or alchimique, c'est dans la nature de la personnalité intégrée qu'il nous faut la chercher. Chez un être intégré, le conscient ne représente qu'une infime part de ce merveilleux tout qui englobe le vaste domaine de l'inconscient, en partie personnel, mais qui inclut également les profondeurs abyssales où l'individu est en relation avec l'ensemble de la création. Imaginons un être capable d'embrasser du regard l'humanité en pleine évolution sous forme d'une suite de pics montagneux s'élevant dans les espaces infinis de l'univers. C'est là une conception que nous ne pouvons concevoir ;

il faut d'abord avoir passé par l'expérience de l'intégra-
tion-avec-tout-ce-qui-est ; et c'est justement cela qu'était
l'illumination, car l'adepte concevait désormais la nature
comme un tout.

L'adepte ne pouvait franchir seul la dernière étape de
l'évolution spirituelle. Ses recherches l'avaient amené à
la connaissance des œuvres de Dieu, et il savait maintenant que sous les apparences complexes de la nature
courait une secrète unité. Cette unité, il la concevait
comme un fluide impondérable d'où toutes choses prenaient forme et qui était la base d'où, selon leur degré
d'impureté, naissaient terres et métaux. Nous retrouvons
ici un peu de notre conception de l'électricité, mais sous
une forme plus poétique que scientifique. Pour l'adepte,
cet univers était l'œuvre d'un créateur conscient. Il ne
s'identifiait à rien d'autre qu'à l'univers matériel. Le Créateur était en toutes choses et transcendait toutes choses,
car il ne pouvait se confiner dans ce qui était créé. Ayant
purifié son cœur par la prière et par la discipline, cou-
rante à cette époque, qu'il s'imposait à lui-même, l'adepte
attendait que lui vînt la lumière.

Cette lumière tant attendue ne se pouvait imaginer.
L'adepte s'y engloutissait et s'y altérait. L'expérience est
décrite en termes volontairement obscurs. On y parle aussi
bien de terreur que de beauté, et on y laisse entendre
que la personnalité de l'adepte en sortait, elle aussi, transformée. Cette expérience extatique couronnait la vie de
l'alchimiste, mais elle n'était pas toujours bénéfique. Nous
pouvons établir à ce sujet deux parallèles, celui de saint
Paul qui, sur le chemin de Damas, ébloui par une lumière,
tomba à terre, puis reprit sa route vers ce qui devait
être son martyre ; et celui de saint François d'Assise qui
au cours d'une vision reçut de douloureux stigmates qui
ajoutèrent encore à sa sainteté, à ses vertus et à ses maux.

Les alchimistes n'espéraient guère davantage. Leur voie leur avait cependant donné accès aux sciences mystiques, et certains d'entre eux semblent avoir reçu le don de transmutation, ou du moins l'affirmaient-ils avec une humilité qui est tout à leur honneur.

Il eût été difficile de canoniser un alchimiste dont le but principal était de fabriquer de l'or. Ce fut en raison de leurs activités de prédicateurs et de fondateurs d'ordres que furent canonisés les hommes d'Eglise qui s'intéressaient à l'alchimie. S'ils furent sanctifiés, c'est pour avoir accompli l'impossible, tel que des guérisons miraculeuses, et non pour avoir effectué des transmutations. Pendant la période médiévale, le véritable alchimiste fut à la fois un érudit et un saint homme, et bien souvent un abbé ou un chanoine. Dans le monde islamique, il s'égalait aux plus sages docteurs. L'alchimiste gardait le plus grand silence sur son art hermétique.

En Europe, après la Réforme, l'alchimiste, préoccupé avant tout de sonder le rapport existant entre le Créateur et la chose créée, devint tout à la fois un philosophe et un mystique. Il fit désormais partie d'une confrérie d'adeptes qu'aucune règle ne régissait, mais qu'unissaient les secrètes et mystérieuses pratiques des Rose-Croix et des Francs-Maçons. L'adepte lui-même s'enveloppait de mystère. On le voit surgir ici et là, on fait allusion à ses richesses d'origine inconnue, mais cependant il mène un train de vie fort modeste. Généralement accompagné de son épouse, il s'entoure toujours du plus grand secret.

L'alchimiste moderne mène lui aussi une vie retirée. Rares sont ceux qui publient des notes sur leurs expériences. Quelques-uns nous ont laissé des ouvrages qui permettent d'établir un lien entre leur pensée et une conception philosophique de la nature de l'univers et de l'homme. On a parfois fait courir le bruit qu'ils avaient découvert le secret. Cependant, il convient de traiter avec circonspection cette moderne survivance de la tradition alchimique. Dans les temps anciens, ceux qui voulaient s'y initier l'étaient par les adeptes. Peut-être en est-il encore de même aujourd'hui.

Nous avons jusqu'ici considéré, du point de vue historique, les alchimistes à travers les âges. Certes la place nous a manqué pour les citer tous, car aux époques les plus brillantes de l'art hermétique nombreux furent ceux qui laissèrent d'obscures relations de leurs travaux. Les charlatans, eux, abondaient, mais il faut se garder de les confondre avec les sages et modestes adeptes. Cependant, de son origine à sa fin, le mystère de cet art spagirique reste entier.

Les sources en durent être en réalité multiples, car nombre des traditions des alchimistes archaïques s'inspirèrent des cultes ésotériques de l'Antiquité. C'est ainsi qu'ils empruntèrent à la Grèce ses doctrines orphiques ; à la Perse, celles des Zoroastriens et des Manichéens ; à la Babylonie et à l'Assyrie, les rites de leurs dieux, et à l'Egypte, celui de la fertilité. Tout au long de l'histoire alchimique nous retrouvons, clairement exprimé, le parallèle entre la fertilité et la sexualité. Faisant l'objet, dans l'Antiquité, d'un véritable culte, commune aux dieux et aux hommes, la sexualité fut également chargée d'une profonde signification par les alchimistes chrétiens qui voyaient en elle la transmission de la vie surgissant, à l'origine, de l'incréé, puis donnée à l'homme et à toutes les autres formes vivantes de la nature. Ecrits et symboles alchimiques expriment ce mystère sous une forme allégorique. Mais il prend parfois une forme plus réaliste, et ce particulièrement du XIVe au XVIe siècle. L'alchimiste recherchait avant tout le principe de l'unité et de la conjonction des contraires à travers les manifestations d'une nature inanimée. Ses travaux chimiques visaient à la fusion, puis à la génération au cours d'une série d'opérations qui, partant de la *materia prima* d'apparence grossière, aboutissaient à ce pur et parfait métal qu'était l'or philosophique.

On remarquera que pour les Egyptiens le fertile limon des bords du Nil était l'équivalent des Marais de la Création où se meut Hathor ; mais la période de répression sexuelle du début du Moyen Age conduisit à cette idée que les matières à employer n'étaient autres que les excréments humains. Nous trouvons nombre de recettes d'infâmes brouets à base de défécations et d'urines qui donnent une image nettement freudienne du refoulement sexuel dans la vie monacale.

L'alchimie n'a pas atteint les buts qu'elle s'était fixés, que ce soit dans l'évolution de la psyché individuelle, ou dans la fabrication d'élixirs, sources de santé parfaite et d'or parfait. Que l'alchimiste ait fait place au philosophe détenteur d'une secrète doctrine s'explique parfaitement du point de vue psychologique. Il est comparable au sage vieillard qui apparaît dans les rêves pour ouvrir la voie vers ce trésor caché qu'est l'inconscient.

Le triomphe de l'intelligence marqua le début de la véritable chimie et le déclin de la philosophie alchimique. L'homme, en prenant conscience de ses possibilités intellectuelles, fit faire un immense pas en avant à l'humanité. Il était indispensable, pour que progressât la science, que les anciennes méthodes alchimiques, tout encombrées de songes et de fatras, fussent abandonnées. Il était également indispensable que l'homme, tout en développant la partie consciente de son être, conservât également cette alchimie intérieure permettant au contenu inconscient de son être d'atteindre à l'intégration. Cultes ésotériques et alchimistes n'eurent pas d'autre but, mais nous

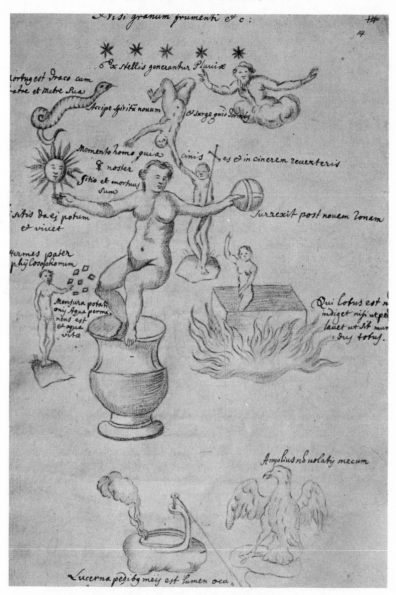

Symboles de l'éternel entre la mort et la résurrection tels qu'ils apparaissent au cours du processus. Manuscrit du XVIIe siècle.

en sommes bien loin encore. L'homme qui a percé, grâce aux mathématiques, tant des secrets de l'univers, n'a pas encore trouvé le moyen de réconcilier les contraires. L'art spagirique, cette science de l'union entre la circonférence et le centre, est resté inachevé. On a créé des contraires, mais loin de les unir, on les a violemment opposés. Les secrets, libérés, d'un univers mathématique n'ont abouti qu'à la force de destruction. Les contraires, bien loin de s'unir, menacent de s'annihiler mutuellement.

Il y a encore place pour l'étude de l'alchimie en tant que philosophie même dans les circonstances créées par les temps actuels.

L'inconscient bouillonne, mais les efforts tentés pour faire passer dans le conscient les forces qu'il recèle n'ont réussi, jusqu'à présent, que dans le cabinet du psychiatre. On trouve dans l'actuel mouvement d'art psychédélique une nouvelle alchimie de couleurs et de sensations visant à produire une illumination. Des expériences à peu près semblables furent tentées, en des temps anciens, par de mystiques Soufis et Ismaélites, mais de nouveaux sons et couleurs produisant sur l'âme un effet apaisant, et ayant sur le cortex cérébral un pouvoir excitant, conduiront peut-être à une moderne version de l'illumination. Faut-il voir là une résurgence des mystères du culte dionysien ? rien n'est moins certain. Le psychédélisme attend encore le sage alchimiste qui lui servira de guide dans le « voyage » qui aboutira peut-être, alors, à la découverte de l'or spirituel.

Quoi qu'il en soit, l'humanité possède aujourd'hui la connaissance aussi bien de la structure matérielle de l'univers que de la nature organique de la psyché. L'espoir subsiste d'une union des contraires, annonciatrice d'un âge d'or.

CHAPITRE XII

Le pouvoir des mots

Nous n'avons pas parlé, jusqu'ici, de l'étrange littérature qui enrichit par ses prolongements le thème même de l'alchimie. Nous n'avons cité que la *Tabula Smaragdina*. Bien que souche mystique de tous les développements à venir, c'est, à première vue, un texte d'une remarquable clarté. C'est dans le sens philosophique dont il est chargé que réside son mystère.

Dans les œuvres alchimiques ultérieures, le principe est le même. Tout y est décrit avec un luxe de détails et même, semble-t-il, une certaine exactitude, mais le mot clé qui ouvrirait au chercheur la voie alchimique fait défaut. L'auteur se livre parfois à de profondes spéculations sur des thèmes religieux, ou fait naître sous les pas du lecteur un riche tapis de verbales floraisons ; mais on le sent hanté par la peur que l'occulte pouvoir ne tombe dans des mains indignes qui en feraient un redoutable usage. Et parce qu'ils étaient obsédés par cette crainte, les alchimistes préférèrent mourir plutôt que de révéler leurs secrets.

Dans toutes les œuvres importantes traitant d'alchimie,

on retrouve cette conception de la double voie. Et toujours aussi les contraires s'opposent : ce qui est en haut à ce qui est en bas, l'air à la terre, le feu à l'eau. Mais pour l'alchimiste, la double voie n'en faisait en réalité qu'une, la voie qui menait à la perfection. Et les alchimistes comprenaient que seul atteignait à la perfection celui qui, en ayant reçu d'En Haut le pouvoir, renonçait à sa nature la plus basse pour entreprendre la marche ascendante. C'était là la voie qui conduisait l'âme à l'illumination et à la connaissance spirituelle de l'Univers vivant, ce que Jung aurait appelé le processus de l'individuation, également bénéfique sur le plan psychique. De modernes alchimistes ont comparé cet enseignement à celui qui se dégageait des Mystères d'Eleusis. Cependant l'initié qui avait étouffé en lui tout désir de richesse, ou de puissance, espérait en être récompensé par la découverte de la Pierre philosophale capable de transformer le métal vil en or. Pour l'alchimiste, la double voie faisait à ce point partie intégrante de la nature qu'il était persuadé, en se purifiant lui-même par de longues années d'études et de recherches expérimentales, de parvenir, en purifiant également les substances naturelles dont il usait, à les transformer en un or véritable et parfait.

Ce principe essentiel n'a peut-être jamais été mieux exprimé que dans ce court passage d'un très vieux livre attribué à Hermès Trismégiste, *Le Divin Poimandros* (ou berger).

« Tout ce qui est soumis à des opérations physiques et à une action a une forme corporelle. Ces opérations et actions ne sont pas dirigées vers le haut, car par leur nature elles tendent vers le bas (vers l'union avec la matière). Les choses terrestres ne peuvent faire du bien à celles du Ciel, mais toutes choses célestes apportent leur aide aux choses de la terre. Le ciel est le séjour des corps éternels. La terre est le réceptacle des corps corruptibles. La terre ne raisonne pas ; le Ciel est l'essence même de la raison, les choses du Ciel sont dessous. Les choses de la terre sont dessus. Le Ciel est le premier Elément créé. La terre est le dernier des éléments. »

Dans ce texte si ancien que la véritable origine en a toujours été controversée, Hermès Trismégiste définit ainsi le but de l'alchimiste : l'état par lequel peut être atteinte l'union du ciel et de la terre par l'intervention de pouvoirs venus d'En Haut. C'est là une étape logique de cette croyance primitive que les pouvoirs opposés de la terre et du ciel seraient un jour réunis par des rites et des paroles magiques. L'image tirée du monde de la nature acquiert ainsi une plus riche signification.

Le thème de l'inspiration est constant dans la littérature alchimique. J'en donnerai pour exemple un passage du *Traité de l'Or d'Hermès Trismégiste,* qui date probablement du IVe ou Ve siècle et qui contient des textes plus anciens et des additifs ultérieurs. Comme toutes les œuvres alchimiques importantes, il a des origines multiples.

« Et même ainsi, dit Hermès, je n'ai jamais cessé, au cours de longues années, de procéder à des expériences, pas plus que je ne me suis dérobé devant un effort mental. Et cependant, je n'ai atteint à cette science, à cet Art, que par l'inspiration du Dieu vivant qui jugea bon de révéler le mystère à moi-même, Son serviteur. A ceux qui sont capables de comprendre la Vérité, il accorde le pouvoir d'opérer un choix, mais à aucun il ne donne la possibilité de faire le mal.

« ... Tu comprendras maintenant que les philosophes anciens divisèrent l'Eau afin de la séparer en quatre substances : une en deux, et trois en une, dont un tiers est la couleur, qui est une humidité coagulée, mais les deux autres tiers sont les Poids du Sage.

« Prends une once et demie de l'humide ; et de la Rougeur de Midi, âme de l'or, prends une quatrième part qui est une demi-once. Prends également une demi-once du Sère (ferment) citrin. De l'Auri-pigment, prends la moitié (qui est huit) et tu arriveras ainsi à un total de trois onces ; et il te faut savoir que la Vigne du Sage se divise en trois, et que le Vin qu'elle produit est perfectionné en trente.

« Comprends maintenant l'œuvre : La décoction réduit la substance, la teinture l'augmente, parce que la lune (Luna) décroît au bout de quinze jours et qu'au troisième, elle croît. Ceci est le commencement et la fin.

« J'ai maintenant révélé ce qui était caché, car l'œuvre est à la fois en toi et autour de toi. Quant à la substance intérieure fixe, tu la trouveras soit dans la terre, soit dans la mer. »

Ce traité recèle plus de choses encore qu'il n'y paraît, car il prête à de nombreuses interprétations. Malheureusement pour nous, il se présente comme une équation que l'on peut résoudre de plusieurs manières. Aucune des substances nommées n'est ce qu'elle paraît être. Le texte continue ainsi tout chargé d'un symbolisme qui nous indique qu'il est d'origine fort ancienne et qu'il fut traduit, au Moyen Age, d'après une version arabe. Ainsi lorsque est décrite la curieuse quête d'une substance appelée « ixir », nous devons voir là la traduction du mot arabe « élixir » le traducteur ayant laissé tomber la première syllabe « el » qui, en arabe, est l'article défini correspondant à notre « le ».

« O fils de Sagesse, sache qu'il existe sept corps dont l'Or est le premier ; il est la tête, le plus parfait, le

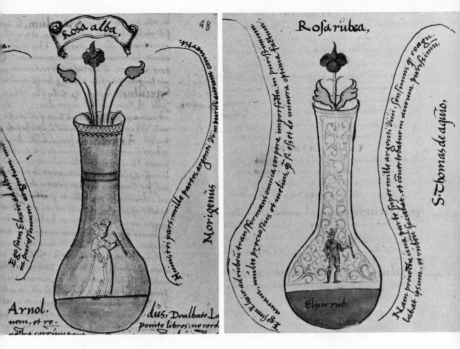

Deux planches du Turba philosophorum. *XVIᵉ siècle.*

roi de tous. La terre ne peut le corrompre, ni le feu le détruire, ni l'eau le changer. Son apparence est immuable et sa nature insensible à l'action du chaud, du froid, et de l'humide. Il n'y a rien en lui de superflu. C'est pourquoi les Philosophes l'ont honoré et loué, le comparant au soleil parmi les étoiles, et déclarant que toute substance est rendue plus parfaite par sa lumière. Tout comme les créatures végétales et les fruits de la terre sont, par la volonté de Dieu, rendus plus parfaits par le Soleil, ainsi l'Or qui est le ferment Ixir anime et recèle tout corps métallique.

« Tout comme la pâte ne peut lever sans un ferment, ainsi la substance doit être sublimée et purifiée. Les impuretés doivent être séparées des excréments puis à nouveau unies et mêlées ; ajoute alors le ferment qui mêlera la terre à l'eau jusqu'à ce que l'Ixir fermente, tout comme fermente la pâte du boulanger. Considère soigneusement cela, puis livre-toi à la méditation. Note que le ferment change en une autre la nature des substances traitées. Note également que l'on ne peut tirer le ferment que d'une substance de même nature.

« Tu constateras que le ferment rend blanche la mixture et que, empêchant la combustion, il retient la teinture. Il réjouit les corps, les fait se pénétrer l'un l'autre, puis s'unir étroitement. C'est là la Clé des Philosophes et la fin de leurs travaux. Grâce à cette science, les corps ont trouvé leur forme parfaite et, avec l'aide de Dieu, leur Œuvre est consommée.

« Souviens-toi que toute négligence au cours du processus et que toute conception erronée de son but fausseraient l'opération tout entière. Ce serait comme de mettre un mauvais levain dans la pâte, du caillé dans le fromage, ou du musc dans un parfum aromatique.

« La couleur de la matière or se rapproche du rouge et sa nature est sans douceur. Tu dois donc en extraire le Seriacum, c'est-à-dire l'Ixir. Et comme nous l'avons déjà écrit, nous en ferons un caustique. Avec le Sceau du Roi, nous avons teinté l'argile et ainsi exalté la couleur du Ciel qui avive la vue de tous ceux qui le contemplent.

« La Pierre, maintenant, est de l'Or le plus pur et le plus précieux. Il est d'un tempérament égal, si bien que ni le feu, ni l'air, ni l'eau, ni la terre n'ont le pouvoir de le corrompre. C'est là le Ferment Universel qui purifie toutes choses de par sa composition de vraie couleur citrine, ou jaune.

« L'Or du Sage, intimement mêlé à l'Eau Ardente, donne l'Ixir. L'Or du Sage est plus lourd que le plomb qui, en une mixture modérée, est le ferment Ixir, mais qui au contraire, dans une composition à dose égale, est déséquilibré.

« L'Œuvre commence par le Végétal, se continue par

l'Animal, comme dans l'œuf de la poule qui contient le précieux germe. Notre terre est l'or d'où nous tirons le Seracium qui est le ferment Ixir. »

Le Mercure. The Growne of Nature. *XVIe siècle*.

Mais en voilà assez du traité d'Hermès Trismégiste. Il est à la fois sage et fou, confus et clair. C'est là l'exemple type des textes alchimiques de tous les temps.

C'est de la Renaissance que date un autre et célèbre document alchimique. Il s'agirait d'une inscription relevée à Bologne sur une dalle funéraire. Elle pourrait en effet avoir été écrite par un jeune docteur en philosophie de l'université de Bologne, la plus ancienne et la plus réputée d'Europe ; et cependant celui qui composa ce poème connaissait les liens qui unissent les Etrusques à Bologne. L'emploi de trois noms pour désigner une femme est plus étrusque que latin, et en effet le nom de clan que porte Lélia est celui d'une puissante gens étrusque que l'on retrouve tout au long de leur histoire. Il s'agit peut-être là d'une tradition du début de la Renaissance. Les alchimistes, frappés par ce poème, consacrèrent de nombreuses pages à son interprétation. La meilleure est peut-être que L'homme et la femme qui y sont célébrés (et dont on ne nous apprend rien) représentent tout simplement les secrètes forces de vie de la nature, ces forces que les alchimistes espéraient acquérir un jour s'ils s'en montraient dignes. Voici ce poème :

AELIA LAELIA CRISPIS
Ni homme, ni femme, ni hermaphrodite,
Ni fille, ni jeune femme, ni vieille,
Ni chaste, ni vicieuse, ni féconde,
MAIS TOUT CELA.
Elle ne succomba ni à la famine, ni par l'épée,
Ni par le poison, mais par tout cela.
Ni au ciel, ni dans la terre, ni au fond des eaux.
Elle ne repose, mais *PARTOUT*.

LUCIUS AGATHO PRISCUS
Ni époux, ni amant, ni ami,
Ni ne pleurant, ni ne se réjouissant, ni ne sachant
Ce qu'il en est.
Ni tertre, ni pyramide, ni sépulcre,
Mais tout cela.
Tout et rien est ici placé

Car en toute certitude ceci est une tombe,
De cadavre, elle n'en renferme pas
Pas plus que le mort ne renferme la tombe.
Ceci est le Sépulcre.

Une fois de plus nous évoquons la très ancienne *Tabula Smaragdina* : « Ce qui est en bas est semblable à ce qui est en haut, et ce qui est en haut semblable à ce qui est en bas. » Ainsi, ces deux inscriptions, réelles ou imaginaires, mettent en regard des contraires et les fondent en une unité parfaitement irrationnelle.

Rien de surprenant que les anciens philosophes aient goûté cette poétique petite énigme.

En Chine, l'alchimie avait passé de la comparaison du jade à l'or, puis de sa transmutation, à une concentration sur la personnalité même de l'adepte. La transmutation spirituelle devint le but primordial de celui qui scrutait les mystères de l'alchimie. Il semble que les croyances locales aient subi l'influence de doctrines venues de l'Occident, particulièrement par le truchement des Manichéens, doctrines qui, assimilées par les alchimistes chinois, leur ouvrirent la voie menant à la perfection. Ce concept était d'ailleurs très proche de celui du taoïsme. Dans sa traduction du livre des voyages du taoïste Ch'ang-Chun, Arthur Waley a inclu un petit poème qui démontre l'identité de la philosophie taoïste avec celle des alchimistes occidentaux :

Ephémère composé des Quatre Eléments,
Le corps subit finalement la décomposition.
L'âme, composée d'une essence spirituelle unique,
Est libre de se mouvoir à son gré [1].

(1) *The Travel of an Alchemist : recorded by his Discipline Li Chih-Chang*, traduit et préfacé par Arthur Waley (Routledge and Kegan Paul, Londres, 1931 et 1964).

Gravure illustrant le Musaeum hermeticum. *1625.*

Ce petit poème fit renoncer au projet d'enlever du lieu de sa sépulture les ossements d'un saint homme.

Si les alchimistes européens ne s'exprimèrent jamais avec la clarté des sages chinois, c'est qu'ils avaient une conscience aiguë des rapports complexes existant entre l'alchimie et leurs croyances. Le besoin impérieux qu'ils ressentaient de définir et d'expliquer entrait en conflit

224

avec cette règle absolue que le secret ne doit pas être révélé au vulgaire. Pour définir Thot (Tehuti), leur maître à tous, ils l'appellent le « premier homme ». Zosime le décrit comme celui qui nomma toutes choses créées, et qui est lui-même nommé Adam par les Chaldéens, les Parthes, les Mèdes et les Hébreux. Zosime ajoute : « Ainsi le premier Homme est appelé par nous Thyot, et par eux Adam, qui est un nom appartenant au langage des Anges : mais en raison de son corps terrestre, ils le nommèrent d'après les quatre éléments de la Sphère céleste [1]. »

L'aspect religieux de l'alchimie apparut plus clairement à l'époque byzantine ainsi qu'en témoignent les conseils donnés par l'ermite orthodoxe Moriénus à son fervent disciple mahométan, le prince Khalid :

« La chose que tu cherches depuis si longtemps ne peut être acquise ou accomplie par la force ou la passion. On ne peut la trouver que par la patience et l'humilité, et par l'amour le plus constant et le plus parfait. Car Dieu accorde cette pure et divine science à ses fidèles serviteurs, c'est-à-dire à ceux à qui Il a résolu de l'accorder de par la nature originelle des choses.

« ... Et les élus eux-mêmes ne peuvent recevoir cette science que si Dieu leur en accorde le pouvoir, et eux-mêmes ne peuvent diriger leurs recherches que vers le but à eux désigné par Dieu. Car Dieu charge ceux de Ses serviteurs qu'Il a choisis dans ce dessein de rechercher cette science divine qui est cachée aux hommes et de ne point la communiquer à d'autres. C'est là la science qui épargne à celui qui la maîtrise les souffrances de ce monde et le mène vers la connaissance du bien à venir. »

(1) C.G. Jung : *Collected Works*, vol. XII, *Psychology and Alchemy*, p. 349-350 (Routledge and Kegan Paul, Londres, 1954).

Lorsque Moriénus s'entendit demander par le Roi pourquoi il vivait dans les montagnes et les déserts plutôt que dans un ermitage, il répondit : « Je ne doute point que dans des ermitages et au sein de confréries je trouverais un plus grand repos, et dans les montagnes et les déserts des travaux harassants ; mais il ne peut récolter, celui qui ne sème point. La porte menant à la sérénité est excessivement étroite et nul ne peut la franchir s'il n'a pas souffert dans son âme [1]. »

Ce thème, nous en retrouverons la répétition et le reflet dans toute la littérature alchimique. L'accent est mis aussi bien sur l'état d'esprit de l'adepte que sur l'œuvre matérielle de la transmutation. Mais il existait toujours le danger que le côté expérimental de l'art hermétique fût découvert par ceux qui n'en étaient pas dignes. C'est pourquoi ces textes abondent en omissions et astuces volontaires. Nombre de substances sont décrites sous de faux noms. Dans le texte qui va suivre, la *materia prima,* la matière essentielle de l'univers, est symbolisée par un serpent. Ce serpent est placé dans un vaisseau alchimique et les quatre éléments, détachés de lui, sont emportés, comme il est dit dans ce texte, dans un chariot à quatre roues. Cela donne un étrange récit qui, par sa construction même, ne manque pas de beauté.

Ce texte est tiré du *Tractatus Aristotelis ad Alexandrum Magnum olim conscriptus et a quondam Christiano Philosopho Collectus.*

« Prends le serpent, place-le dans un chariot à quatre roues et dirige-le vers la terre jusqu'à ce qu'il soit immergé dans les profondeurs de la mer et que plus rien ne soit visible que la noire mer Morte. Là, abandonne le chariot

(1) C.G. Jung : *Collected Works,* vol. XII, *Psychology and Alchemy,* p. 260. (Routledge and Kegan Paul, Londres, 1953).

avec ses roues, jusqu'à ce que tant de vapeurs s'élèvent du serpent que la vaste surface plate devienne sèche et, par dessiccation, sablonneuse et noire. Tout cela est la terre qui n'est pas terre, mais une pierre n'ayant pas de poids... et quand la vapeur retombe en pluie... sors le chariot de l'eau et amène-le sur la terre sèche et quand tu auras fixé les quatre roues au chariot, tu obtiendras le résultat si tu te diriges vers la mer Rouge, courant sans courir et te mouvant sans te mouvoir [1]. »

Cette manière volontairement obscure de s'exprimer se perpétua jusqu'au XVIᵉ siècle, au point même de prêter le flanc à la raillerie.

Le petit poème suivant, tiré du *Marrow of Alchemy* d'Eirenaeus, en est un plaisant exemple :

LA CHASSE AU LION VERT

Salut à la noble compagnie
Des disciples de la sainte Alchimie ;
Dont la noble pratique leur enseigne
A voiler leur art par de brumeux discours ;
Plaise à votre honorable confrérie,
D'entendre l'aimable récit
De l'étrange pratique observée
Dans la chasse au Lion Vert,
Qui jamais de telle couleur ne fut
Comme dans votre sagesse vous ne l'ignorez point ;
Car jamais de sa vie aucun homme n'a vu
Allant sur quatre pattes un Lion Vert,
Mais notre lion n'étant pas à maturité,
Est appelé vert, croyez-moi, parce que pas mûr,

---

(1) C.G. Jung : *Collected Works,* vol. XII, *Psychology and Alchemy,* p. 202 (Routledge and Kegan Paul, Londres, 1953).

Illustration pour la **Philosophia reformata** *de Mylius. 1622.*

Et pourtant à quelle allure il court ;
Bientôt il rattrape le soleil ;
Et ne tarde pas à le dévorer...

Nous trouvons là une double astuce qui n'en est pas une, car le Lion Vert est fort acide sans pour cela n'être pas mûr. Il s'agit de l'*aqua fortis,* qui a le pouvoir de dissoudre l'or et qui est un composé d'acides d'une couleur verdâtre. Eirenaeus s'exprime ici de façon assez claire pour être compris de ses collègues alchimistes, et de façon assez obscure et amusante pour dérouter le profane.

C'est ce qui permit à Melchior Cibinensis, dans cette période d'intense culture que fut le début du XVIe siècle, de faire une description poétique du processus de la transmutation en termes que l'adepte devait trouver modérément obscurs, mais qui dépassent l'entendement des gens non initiés aux rites de l'art alchimique.

« Salut à toi, merveilleuse lampe du ciel, éclatante lumière du monde. Là tu es unie à la lune, et là est l'orbe de Mars, puis sa conjonction avec Mercure. C'est alors que naît, grâce au magistère de l'art, dans le lit du fleuve, le puissant géant qui mille fois effectue mille quêtes lorsque ces trois ont été dissous non dans l'eau de pluie... mais dans l'eau mercurielle, dans ce fluide béni qui se dissout de lui-même et qui est appelé le Sperme des Philosophes. Il se hâte maintenant de s'unir à l'épouse vierge et d'engendrer avec elle un enfant dans un bain d'une chaleur modérée. Mais la vierge n'est pas fécondée avant qu'il l'ait embrassée en des étreintes répétées. Alors elle conçoit dans son corps et ainsi est engendré l'enfant d'heureux présages, comme le veut l'ordre de la nature. Puis apparaît au fond du vaisseau le puissant Ethiopien, brûlé, calciné et blanchi, à la fois mort et sans vie. Il demande à être inhumé, à être aspergé avec sa propre humidité, puis lentement calciné jusqu'à ce qu'il surgisse en une forme éblouissante d'un feu ardent... Observe alors la merveilleuse résurrection, ou renaissance, de l'Ethiopien ! Et parce qu'il a reçu le bain de résurrection, il prend un nouveau nom, qui est pour les Philosophes le Soufre Naturel, et leur fils, et qui est la Pierre philosophale. Et rappelle-toi que c'est là *une* seule chose, *une* seule racine, *une* seule essence à laquelle il convient de ne rien ajouter et dont tout ce qui était superflu a été retiré par le magistère de l'art... C'est le Trésor des Trésors, la suprême Potion Philosophique, le divin Secret des Anciens. Béni soit celui qui trouve une telle chose.

« Celui qui a assisté à cette chose en écrit et en

parle ouvertement, et je sais que son témoignage est véridique. Loué soit Dieu à jamais [1] ! »

Cette phraséologie dissimule, sans le voiler tout à fait, un grand mystère. Chose fantastique, l'alchimiste croyait sincèrement composer une paraphrase du magnifique *Salve, Regina*. Sans doute était-il à ce point plongé dans son œuvre qu'il se sentait lui aussi touché par la divine Bénédiction. Il assistait à un miracle aussi merveilleux que celui de l'Incarnation. Devant lui se déroulait la démonstration de l'essentielle unité du monde spirituel et du monde de la Nature. Le soleil et la lune sont unis dans la conjonction de Mars et Mercure, s'amalgamant dans un vase épais et scellé. Sous l'effet de la chaleur cet amalgame se transforme en une substance noire qui est à son tour chauffée jusqu'à ce que la vapeur s'en dégage et se condense. (Mercure doit dans ce cas être autre chose que le mercure ordinaire, sinon il n'atteindrait pas au stade du noir, ou *nigredo*.) Y est alors ajoutée une nouvelle substance, ce fluide appelé « Sperme des Philosophes » (dans des œuvres ultérieures, il est fait allusion à un distillat de couleur dorée qui pourrait bien être la substance décrite ici). De l'argent y est alors incorporé, puis le processus de cuisson et de condensation se continue dans un bain d'eau afin que la chaleur soit aisément graduée. L' « enfant » est une substance cristalline, mais, le processus achevé, il ne reste plus que la cendre noire. On augmente la chaleur, la cendre noire devient braise rouge incandescente, pour finalement se changer en une poudre pâle appelée « Soufre des Philosophes ». Ce n'est autre que la mystérieuse Pierre Philosophale qui dote d'un pouvoir quasi miraculeux celui qui la détient.

(1) C.G. Jung : *Collected Works*, vol. XII, *Psychology and Alchemy*, p. 384-386. (Routledge and Kegan Paul, Londres, 1953).

Vierge enceinte et dragon. Manuscrit du XVIᵉ siècle. ▶

MA. en
reserve.

En notre ère scientifique, cette expérience a été répétée, ainsi que nous le verrons plus loin, avec quelque succès. Bien entendu les alchimistes d'aujourd'hui s'entourent du même secret et s'expriment de façon aussi obscure que leurs aînés. Obtenir un résultat, avec les moyens employés, continue d'être scientifiquement impossible, et pourtant nous avons la preuve que quelques rares savants ont accompli ce qui, scientifiquement, est impossible. Cependant un grand nombre d'adeptes accordaient la première place à leur transmutation personnelle. Dans le monde moderne, la philosophie a toujours eu pour but l'intégration, dans sa totalité, de l'homme qui a fait cette étrange expérience concomitante, à un niveau extrêmement profond, de l'unité du monde vivant et de l'individu. Deux voies semblent ouvertes.. Mais cela, nous en discuterons ultérieurement.

Il nous faut d'abord revenir à un des esprits les plus éclairés du Moyen Age, afin de donner plus de poids à nos arguments. Il s'agit d'Albertus Magnus, cité dans le *Theatrum Chemicum*. C'est du *Liber octo capitulorum de lapide philosophorum* qu'est tiré le texte suivant. L'auteur y parle du Mercure des philosophes :

« Le vif-argent est froid et humide et c'est de lui que Dieu a tiré tous les minéraux, et il est lui-même aérien, et volatil dans le feu. (C'est-à-dire qu'il contient les quatre éléments.) Etant donné qu'il résiste au feu pendant un certain temps, il accomplit un grand et merveilleux œuvre, et lui seul est un esprit vivant, et dans le monde entier il n'existe rien qui puisse accomplir de telles choses... 'Il est l'eau éternelle, l'eau vitale, le lait de vierge, la source, l'alumen, et celui qui en boit ne mourra jamais. Quand il est vivant, il accomplit certains œuvres et quand il est mort, il en accomplit d'autres, et des plus grands. Il est le serpent qui se suffit à lui-même, qui s'imprègne lui-même et donne naissance en un seul jour, et son venin tue tous les métaux. Il s'échappe du feu, mais les sages, par leur art, lui ont permis de résister au feu en le nourrissant de sa propre terre jusqu'à ce qu'il supporte le feu, et c'est alors qu'il accomplit des œuvres et des transmutations. »

Illustration du Liber Pontificalis. *Manuscrit du XIIIᵉ siècle.*

L'auteur écrit plus loin :

« Notre ultime secret consiste en ceci que l'on obtient la médecine qui s'écoule avant que Mercure s'évapore... Il n'existe pas de substances plus précieuses et plus appropriées que le Soleil et son ombre, la Lune, sans lesquels on ne pourrait produire du vif-argent colorant... Celui, donc, qui sait l'unir au Soleil, ou à la Lune, connaîtra l'arcane qui est appelé le Soufre de l'Art.

« Notre pierre est de nature aqueuse, car elle est froide et humide. Et ce caractère, chez ce corps, est évident ou manifeste. Mais au milieu se trouve la largeur d'où peut être obtenue la profondeur. C'est la voie entre la largeur et la profondeur, comme entre deux extrêmes ou contraires, et le passage d'un contraire à l'autre et d'un extrême à l'autre serait impossible sans cette voie. Et cela parce que la pierre est froide et humide [1]. »

Ici l'auteur ne se contente pas de nous parler du mystérieux « mercure philosophique », mais expose quelques curieuses conceptions sur l'espace existant entre la largeur et la profondeur. Cette conception présente certains rapports avec le nom que l'on donnait volontiers à l'alchimie, aux XVIIe et XVIIIe siècles, l'art spagirique, l'art de ce qui est éloigné et de ce qui est proche, c'est-à-dire la force centrifuge et la force centripète. Cette conception a des racines très anciennes, préhistoriques même, ainsi l'idée que le souffle de vie est transmis au monde par les entrailles de la femme et quitte le monde par les entrailles magiques de la terre, c'est-à-dire la tombe. De là à ici, et d'ici à là, le perpétuel passage d'une condition à une autre nous amène à l'idée que se faisaient les alchimistes de la signification du Haut et du Bas, dans la *Tabula Smaragdina,* en tant que constructions dimensionnelles différentes de l'espace. Le monde le plus bas a une plus forte densité et une plus grande dimension ; le monde le plus haut est plus éthéré, plus léger et plus vaste.

Voici ce que déclare, au XVIe siècle, Gerhard Dorn :

« Le caelum (la Pierre) est donc une substance céleste

(1) C.G. Jung : *Collected Works,* vol. XIV, *Mysterium Conjunctionis,* p. 478, 479 (Routledge and Kegan Paul, Londres, 1963).

Deuxième clef de B. Valentin : Mercure en tant que symbole de l'unité.

et d'une forme universelle qui contient en elle toutes les formes distinctes les unes des autres, mais provenant d'une forme unique et universelle. Par conséquent celui qui sait comment l'individu peut être assimilé à l'être en général par l'art spagirique, et comment les vertus, une ou plusieurs, peuvent être communiquées à cet être, trouvera aisément la médecine universelle. Puisque toute corruption commence d'une seule et générale façon et qu'il n'existe qu'une seule et universelle source de régénération, ayant la propriété de rendre ou de donner la vie, qui, à l'exception d'un homme privé de sens, pourrait douter des vertus de cette médecine [1] ? »

Dorn juge visiblement ce texte incompréhensible pour

(1) C.G. Jung : *Collected Works,* vol. XIV, *Mysterium Conjunctionis,* p. 479 (Routledge and Kegan Paul, Londres, 1963).

ses lecteurs ; et cependant celui-ci renferme certains principes philosophiques d'une importance considérable, exprimés en d'autres termes que dans l'Antiquité. Il expose plus clairement l'idée que ce merveilleux arcane alchimique est une substance universelle qui transcende le temps et l'espace. C'est là un point essentiel de toutes les religions ésotériques, sans aucun doute de très ancienne origine, que Dorn a adapté à la pensée de son temps, et qui ramène le mysticisme alchimique dans le domaine de la philosophie.

Entre la doctrine philosophique de Dorn et la romantique représentation des mystères, principale source des illustrations de cet ouvrage, s'insère ce texte intitulé *Expérience et Philosophie*, tiré du *Theatrum Chemicum* d'Elias Ashmole, p. 336 :

Une chose fut d'abord employée,
Qui ne doit jamais être détruite :
Elle englobe le monde entier,
C'est une matière aisée à trouver :
Et cependant difficile à approcher.
Le secret des secrets, en vérité,
Le plus vil et le moins volontiers écarté,
Mais c'est là mon Amour et mon bien,
Conçu de toutes choses vivantes,
Et qui s'en va au bout du monde.
Un enfant engendrant son propre Père et portant en
[son sein sa Mère,
Se détruisant lui-même pour donner vie et lumière à
[tout ce qui est,
Voilà quel est mon propos,
A la fois modéré et extrême.
Le monde qui m'habitait n'à-t-il pas
Pris forme et entrepris sa marche en avant ?

Et n'ai-je pas alors habité en Lui,
Qui habitait en moi afin d'unir
Les trois Pouvoirs siégeant sur un seul trône ?

Une fois de plus la philosophie alchimique s'apparente à la théologie chrétienne. C'est tout au début de son histoire qu'évolua un système d'interprétation spirituelle de la chimie, désormais lié à certaines hérésies chrétiennes et à certaines formes de croyances mahométanes. Rien d'étonnant à ce qu'aient réapparu, au cours de la période qui suivit la Réforme, de très anciens concepts liés à de nouvelles doctrines. Nous en avons un exemple frappant dans le prologue de l'*Ordinaire d'Alchimie* de Norton où la science se voit apostrophée comme un être possédant sa propre personnalité, quasi angélique, et cependant placé sous le contrôle d'un adepte qui, crainte de conséquences sur le monde entier, doit obéir à des motifs d'une parfaite pureté. C'est pourquoi cette science doit être traitée comme chose sainte.
Voici ce qu'en dit Norton :

En vérité, merveilleuse et sans égale
Est la teinture de la sainte Alchimie ;
Science admirable et secrète philosophie,
Grâce singulière, don du Tout-Puissant ;
Qui jamais ne fut trouvée comme en pouvons témoigner,
Et jamais à aucun homme ne fut enseignée
Avant qu'on se soit soigneusement assuré
Qu'il était digne de se voir cette grâce accorder.
Pour son intégrité, ses vertus et son sage équilibre,
Car sinon jamais il ne la recevra.
C'est pourquoi aucun homme ne devrait cette science
                                        [enseigner,
Car elle est si merveilleuse et si secrète,

Qu'elle doit être enseignée de bouche à oreille ;
Et il doit (s'il ne veut pas encourir le mépris)
Prêter en la recevant le plus sacré des serments,
Car ainsi que nous refusons les honneurs et la gloire
Il doit de toute nécessité faire de même.
En effet cette science doit à jamais rester secrète,
La cause en étant, comme vous allez le voir,
Que si un méchant l'avait en son pouvoir,
Il risquerait de détruire la paix chrétienne ;
Et par excès d'orgueil, pourrait aussi détrôner
Sages, Rois, et Princes de grand Renom ;
C'est pourquoi périls et dangers planent,
Effrayants, sur la tête de l'enseignant.
Ainsi se méfiant de l'orgueil et de la cupidité
Il doit se rappeler que cette science enseigne
Qu'aucun homme ne doit ce présent recevoir
S'il ne possède vertus excellentes.
Et c'est pourquoi on n'encouragera pas les hommes
                                [vains et cupides
A s'adonner à cette science, comme il est dit plus
                                [haut,
Car ils ne recevront pas la bénédiction,
Et cependant, en son essence, cette science est sainte.
Et parce que jusque là aucun homme ne l'a trouvée
Que par la Grâce, elle est d'essence sainte.
Et elle est aussi œuvre et médecine d'essence divine,
Qui transforme le vil cuivre en or et en argent pur ;
Nul homme ne peut provoquer le changement, par sa
                                [pensée,
Des choses par la main de Dieu forgées,
Car les conjonctions de Dieu, l'homme ne les peut
                                [défaire,
A moins que dans Sa Grâce Il y consente,
Avec l'aide de cette science que Notre-Seigneur, là-haut,

Comment recueillir la rosée. Mutus Liber.

Donne aux hommes à qui Il accorde Son amour,
Et c'est pourquoi nos Pères, à juste titre,
Ont appelé cette science la sainte Alchimie.

Nous avons là une mise en garde claire et sans équi-
voque. Chercher à percer le secret, enseigner cette science
dans le dessein d'acquérir biens matériels et pouvoirs,
c'est aller au-devant de la destruction. Ces philosophes
semblent avoir eu une connaissance de la nature humaine
dont nous pourrions tirer profit. Le fait que leurs ouvrages
furent écrits lors de la guerre de Trente Ans, dont la
pièce de Brecht, *Mère Courage,* nous donne une juste
idée, explique qu'ils aient eu de telles conceptions. L'alchimie, ou du moins les idées qu'elle renferme, ne peut
être utilisée avec fruit que par une humanité qui s'enga-
gerait enfin sur le chemin de la paix. C'est là une théorie
non alchimique qui remonte, en Occident, à quelque deux
mille ans.

C'est en nous plaçant à ce point de vue que nous
étudierons les rapports réels entre les théories alchimiques
et la science empirique. Nous n'y trouverons rien de
rationnel, car décidément le mode de pensée de ces alchimistes différait du nôtre. Les meilleurs d'entre eux étaient
prêts à passer des dizaines et des dizaines d'années à
effectuer des expériences qui les menaient graduellement
à l'illumination. Presque invariablement, ils déclarent alors
que ce secret est si simple que brusquement tout leur
paraît clair. Et cependant jamais ils n'expriment le regret
des longues années de servitude consacrées par eux à cet
art. Ils voyaient une nécessité absolue à ce que l'individu
cherche et trouve la voie pas à pas. Selon le philosophe
Heinrich Khunrath, s'engager dans cette voie signifiait
renoncer aux plaisirs et aux tentations de ce monde. En
la suivant, on arrivait à l'entrée d'une longue et obscure

caverne, éclairée par l'espoir, mais si sombre cependant qu'on risquait de se laisser aller au désespoir. A l'autre extrémité de cette caverne, on débouchait sur une féerique contrée où se dressait une forteresse flanquée de plusieurs chambres dont l'une y donnait peut-être accès. Nombreux furent ceux qui, explorant les chambres, cherchèrent sans succès cette entrée et finirent par y renoncer. Quelques-uns réussissaient à pénétrer dans ce château fort par une porte étroite, après avoir franchi non sans péril la passerelle qui enjambait une profonde douve. Arrivés là, il leur fallait subir examens et épreuves pour démontrer qu'ils étaient dignes d'entrer dans la forteresse et de découvrir enfin la voie menant au Paradis.

Comme l'a répété avec insistance le professeur Jung, il nous est loisible à tous de nous engager dans les innombrables voies de l'expérience psychologique menant à ce monde immense de l'inconscient qui est en nous et qui nous relie à la nature dans son ensemble. Ces descentes en nous-mêmes sont étrangement semblables aux séquences de rêves qui nous visitent au cours de ce pèlerinage qu'est la vie, et, heureusement accomplies, elles aboutissent à la totale intégration de la personnalité. Nous saisissons alors notre être dans son entier, ce qui donne tout son prix à ce pèlerinage. Le psychologue d'aujourd'hui et l'adepte d'autrefois connaissent tous deux la voie menant au développement de la personnalité, même s'ils y parviennent par des chemins différents. L'alchimiste des temps très anciens projetait ses expériences dans le monde extérieur et usait de la discipline du laboratoire comme du véhicule de ses rêves éveillés.

Cette vue n'englobe pas tout, car il subsiste encore bien des points obscurs que personne jusqu'ici n'a pu élucider de façon satisfaisante. Cependant, arrivés à ce point, il nous faut revenir en arrière et citer quelques relations de processus matériels de transmutation tels que les voyaient les adeptes.

Voici un extrait tiré par George Starkey, au XVIIᵉ siècle (tel qu'il a été réédité par James & Cᵒ en 1893), de *The Stone of the Philosophers : Embracing the First Matter and the Dual Process for the Vegetable and Metallic Tincture* :

« Tous les vrais philosophes reconnaissent que la matière première des métaux est une vapeur humide produite par l'action du feu qui brûle dans les entrailles de la terre, et qui s'échappant par ses pores, et entrant en contact avec l'air, se coagule en une eau onctueuse adhérant à la terre qui lui sert de réceptacle, où elle s'unit à un soufre plus ou moins pur, et à un sel plus ou moins fixant qu'elle capte dans l'air. Arrivée à un certain degré de concoction sous l'effet de la chaleur solaire, elle se transforme en pierres, en roches, en minéraux et en métaux...

« Les gemmes, elles aussi, sont formées de cette humide vapeur lorsqu'elles rencontrent une eau chargée de sel pur qui la fixe en un lieu froid. Mais si elle est longuement sublimée en des lieux chauds et purs, et que l'onctuosité du soufre y adhère, cette vapeur que les Philosophes appellent leur Mercure se joint à cette onctuosité et devient elle-même une matière onctueuse qui, montant vers d'autres lieux purifiés par ladite vapeur, où la terre est subtile, pure et humide, en emplit les pores et c'est ainsi que l'or prend naissance. »

On peut voir là un argument inspiré par les volcans ; il donne à l'alchimiste une base quant aux observations auxquelles il se livrait au cours de ses travaux de laboratoire.

Frontispice du Tripus aureus *de M. Maier. Francfort. 1618.*

« Les philosophes sont unanimes à affirmer que les métaux possèdent une semence qui les fait s'accroître et que cette qualité séminale se retrouve en tous ; mais elle ne parvient à une parfaite maturité que dans l'or où toutes les substances sont si étroitement unies qu'il est extrêmement difficile de décomposer ce corps et de s'en procurer pour accomplir l'Œuvre Philosophique. Cependant, certains adeptes de cet art ont, par un lent et pénible processus, choisi l'or pour élément mâle, et le mercure, qu'ils savent comment extraire de métaux moins compacts, pour élément femelle ; non parce que ce processus est plus aisé, mais pour découvrir la possibilité de fabriquer la Pierre de cette manière ; et ils y sont parvenus, dévoilant ouvertement leur méthode, mais en dissimulant la véritable confection qui est à la fois plus simple et plus facile. »

Nous nous trouvons ici devant la connaissance traditionnelle issue de très anciennes spéculations sur la nature
des métaux liées au principe de la production des amalgames qui remonte aux orfèvres d'Alexandrie. Bien entendu,
ces principes furent adaptés ultérieurement à des techniques plus perfectionnées. L'alchimiste soumet ses matériaux à de bien plus nombreux processus. Nous allons
voir maintenant comment le stade final du processus se
manifeste par l'apparition d'un miraculeux élixir doué
de pouvoirs qui dépassent l'entendement.

« ... Notre vaisseau, ayant été au début prudemment
chauffé de crainte qu'il ne se fende, la matière qu'il
contient est portée à ébullition afin que l'humidité, d'une
part s'élève en une vapeur blanche, et de l'autre se condense
dans le bas, processus qu'il convient de poursuivre pendant
un mois ou deux, voire plus longtemps, en augmentant
lentement et par degrés la chaleur, la masse se découvrant
un pouvoir fixant, tandis que la vapeur continue, à de
longs intervalles, à se condenser et se transforme en une
quantité moindre, couleur de cendre, et toujours plus fon-
cée à mesure qu'elle tend vers le noir parfait, ce premier
et desirable stade de notre moisson. D'autres couleurs
peuvent apparaître au cours de cette étape de l'œuvre,
ce qui ne présente pas de péril, à condition qu'elles
soient transitoires ; mais si une trace de rougeur, rappelant
celle du pavot des champs, se maintient, la masse est
en danger de se vitrifier... »

Cette opération est effectuée dans un vaisseau hermétiquement scellé, sans aucun additif au contenu originel ;
mais il nous est dit qu'arrivé à ce point dangereux, l'adepte
peut ajouter une certaine quantité de mercure traité, puis
sceller à nouveau le vaisseau.

« ... après qu'ils ont continué d'opérer ainsi pendant
un certain temps, une pellicule se formant sur la masse

prouve qu'elle est sur le point de se fixer, retenant captive, pendant un certain temps, la vapeur jusqu'à ce que, crevant cette pellicule, elle jaillisse à la surface en différents endroits (telle la substance bitumineuse que sécrète le charbon sous l'effet d'un feu ardent), en nuages foncés qui se dissipent rapidement, et que, diminuant de quantité, la substance tout entière prenne l'aspect de la poix fondue, ou de ladite substance bitumineuse, bouillonnant de moins en moins, et formant une masse noire dans le fond du vaisseau. C'est là ce qu'on appelle le noircissement du noir, la tête de corbeau, etc., et c'est là un stade souhaitable de notre génération philosophique, car elle représente la putréfaction parfaite de notre semence qui avant peu démontrera son principe vital par une glorieuse manifestation de Vertu Séminale. »

C'est ici qu'apparaît pour la première fois la Tête de Corbeau, et que nous abordons des descriptions dont le lecteur retrouvera l'écho dans les illustrations.

« Chapitre XI : Suite de la description du processus.
« Lorsque la putréfaction a été ainsi achevée, il convient d'aviver le feu jusqu'à ce que surgissent les glorieuses couleurs que les Fils de l'Art appellent Cauda Pavonis, ou Queue de Paon. Ces couleurs apparaissent, disparaissent tandis que la chaleur approche du troisième degré, et bientôt la masse est d'un vert magnifique qui, en mûrissant, se mue en une blancheur parfaite, la Teinture blanche, laquelle transmue les métaux vils en argent, et est également une puissante médecine. Mais l'artiste, sachant que la concoction peut se révéler plus puissante encore, avive le feu jusqu'au point où cette teinture prend une couleur jaune, puis orange, ou citron ; il la soumet alors hardiment à la chaleur du quatrième degré et elle acquiert cette rougeur du sang qui coule dans les veines d'un

Calcination
de Luna
et de Sol.

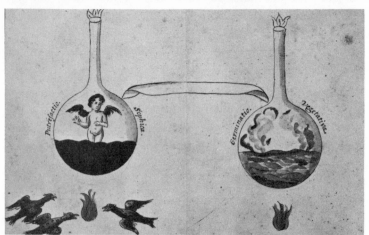

A la putréfa[...]
succède
la germinati[...]

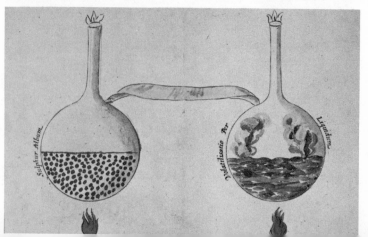

Le Soufre B[...]
se volatilise
et déploie
la queue du [...]

être sain, signe manifeste de sa parfaite concoction qui la rend propre aux usages désirés.

« Chapitre XII : De la Pierre et de ses usages.

« Ayant ainsi achevé l'opération, laisse refroidir le vaisseau, et en l'ouvrant tu découvriras que la matière s'est fixée en une masse pesante, de couleur écarlate, facilement réductible en poudre par grattage ou autre moyen, et qui soumise à la chaleur du feu fond comme de la cire, sans fumée, sans flammes et sans perte de substance, puis retrouve, une fois refroidie, sa fixité première ; plus lourde que l'or, à masse égale, et cependant aisée à dissoudre dans n'importe quel liquide ; administrer quelques grains du résultat de cette opération produit sur le corps humain un effet quasi miraculeux, le délivre de tous ses désordres et prolonge la vie jusqu'à son extrême limite ; c'est pourquoi elle a mérité le nom de « Panacée », ou remède universel. Sois reconnaissant au Très Haut de posséder un tel et inestimable joyau, et ne vois pas dans sa possession le résultat de ta propre industrie, mais un don accordé par Dieu dans Sa grande bonté pour soulager les hommes de leurs infirmités... »

Il nous est recommandé ici de ne pas mettre en doute les vertus de la Panacée, mais de prendre garde que la Pierre ne tombe entre des mains indignes et malfaisantes. La description qui nous est faite du processus semble l'avoir été à maintes et maintes reprises en termes similaires. Il est fréquemment fait allusion à la mystérieuse poudre rouge, qui joua un rôle de tout premier plan dans la vie de Nicolas Flamel. On nous donne ici une curieuse description de ses vertus et de sa forte densité spécifique. Pour autant que nous en pouvons juger, nous sommes là dans un domaine non scientifique et qui cependant pose une énigme, car cette question de densité contient un élément rationnel qui, ignoré peut-être des alchimistes, ne nous échappe pas. Si leurs relations sont exactes, nous avons là la description d'une bien curieuse forme de la matière.

« Chapitre XIII : De la Transmutation.

« Il est grandement à déplorer que ceux qui recherchent la connaissance naturelle de cet art fassent de la science de la Transmutation leur but final, et négligent la parfaite excellence de notre Pierre en tant que médecine. Faisant fi de cet esprit déplorable, nous en confions le soin à la Providence, et après avoir traité ouvertement de la Transmutation (que les Philosophes effectuent réellement), nous décrirons les circuits que doit encore effectuer notre Pierre afin qu'en soient exaltées les vertus, et nous mettrons ainsi fin à notre traité.

« Quand l'artiste désire transmuter un métal — du plomb par exemple — qu'il en fasse fondre dans un creuset parfaitement propre une certaine quantité à laquelle il ajoutera quelques grains de poudre d'or ; lorsque le tout sera fondu, qu'il tienne prête un peu de la poudre qu'il aura aisément détachée de sa Pierre et qu'il en jette une quantité minime dans le métal en fusion. Il s'élèvera instantanément une épaisse fumée qui emportera dans un crépitement les impuretés contenues dans le plomb, ce qui permettra à la substance plomb de se transmuer en l'or le plus pur et cela sans la moindre falsification ; la petite quantité d'or ajoutée avant la projection ne sert qu'à faciliter la transmutation et la quantité de teinture à employer sera dictée par l'expérience, car ses vertus sont proportionnées au nombre de circuits qu'on lui aura fait effectuer après que le premier a été achevé.

« Ainsi, lorsque vous aurez obtenu la Pierre, faites-la dissoudre à nouveau dans notre mercure où vous aurez auparavant dissous quelques grains d'or pur. Cette opération s'effectuera sans difficulté, ces deux substances se liquéfiant aisément. Remettez le tout dans le vaisseau et répétez le processus. Il n'existe d'autre danger, au cours de cette manipulation, que de briser votre vaisseau ; à chaque fois que la Pierre est ainsi traitée, ses vertus sont accrues de dix, de cent, de mille, de dix mille fois, etc., tant du point de vue médicinal que transmutatoire, si bien qu'une infime quantité suffira aux besoins d'un artiste, et ce jusqu'à la fin de sa vie. »

Cette relation correspond à la description donnée par Helvétius, à cette expression près qu'il ne lui a pas été dit d'ajouter quelques grains d'or au plomb en fusion. Ce n'est pas là un processus rationnel, et cependant la nature traditionnelle de cette directive est évidente, car elle est proche des instructions émises dans le *Bosom Book* de Sir George Ripley, chanoine de Bridlington, près de deux siècles plus tôt.

Les ouvrages de Basile Valentin que l'on croit avoir été un moine résidant en Thuringe, traitent de cette même quête, mais il se préoccupa avant tout, à l'aide d'antimoine, de produire la Pierre sous des formes liquides. Il semblerait qu'il ait vécu dans la première partie du XVIᵉ siècle, étant donné qu'il préconisa l'usage de son élixir pour guérir les maladies vénériennes, récemment introduites en Europe. Cet ouvrage, un traité religieux empreint d'une profonde dévotion, vise non à la transmutation, mais à la préparation de médecines, et la Pierre philosophale y apparaît sous forme d'un liquide doué d'un tel pouvoir curatif que ce moine le considère comme la panacée de tous les maux. Exprimant un autre point de vue, quoique appartenant à la même école de pensée, Basile Valentin trouva sa *materia prima* dans l'antimoine.

Il reconnaît néanmoins la possibilité d'obtenir, en partant d'autres substances, des résultats d'égale valeur, mais présentant des caractéristiques légèrement différentes.

Cette ancienne littérature alchimique est hérissée pour nous de difficultés, car nous ne concevons plus le problème dans les mêmes termes. Les quatre éléments des alchimistes ne figurent plus désormais que dans le symbolisme poétique ; les termes employés pour décrire matériaux et processus exigent, pour être pleinement saisis, de considérables recherches. Du point de vue scientifique, nous ne parlons plus, mais alors plus du tout la même langue. Que la pensée alchimique ait tendu à la spéculation philosophique fut un phénomène aussi inévitable en Europe qu'il l'avait été en Chine un millier d'années plus tôt. Et nous retrouvons également la même tendance à s'exprimer par un symbolisme religieux. Cette évolution est manifeste dès les débuts de la doctrine rosicrucienne, nettement teintée de pensée alchimique. En fait, deux hommes éminents du XVIIᵉ siècle, Michael Maier, alchimiste allemand, et Elias Ashmole, philosophe anglais, fondateur de l'Ashmolean Museum, et éditeur d'une fort belle collection d'ouvrages alchimiques, partagèrent les idéaux rosicruciens. Certaines des illustrations de cet ouvrage sont de la main de Michael Meier qui possédait un don certain d'expression picturale. Ashmole s'intéressait fort aux Rosicruciens et s'efforça d'établir une parenté entre leurs rites et les Mystères grecs et romains. Il rassembla un grand nombre de textes alchimiques dans l'intention de les insérer dans un très important ouvrage. Mais il se lia étroitement avec un philosophe alchimiste, William Backhouse, qui l'initia à la composition secrète de la *materia prima,* substance servant de base à la confection de la Pierre philosophale. Ashmole a noté le fait, et il précise même la date, le 13 mai 1653. De ce jour, et jusqu'à sa mort qui survint en 1692, Ashmole n'écrivit plus rien qui eût rapport à l'alchimie. Le secret était-il devenu pour lui si clair qu'il n'éprouva plus le besoin de l'étudier du point de vue scientifique, ou faut-il voir là une preuve qu'il n'existe rien de matériel dans la quête spirituelle de la *materia prima,* cela nous ne sommes pas à même d'en juger.

Peut-être est-ce là ce qu'exprime la philosophie de Khunrath, qui entretenait des rapports étroits avec Michael Maier. Et peut-être trouverons-nous une réponse à cette question dans les principes rosicruciens que l'on attribue à Benedict Hilarion qui, en 1622, formule ainsi ceux ayant trait à l'alchimie.

« 1. Que les métaux et autres minéraux ne se trouvent que dans les montagnes et sous la terre de sel, de soufre et de mercure ;

« 2. Que cette terre est imprégnée, par la Nature, d'eau minérale ;

« 3. Que tandis que les métaux s'accroissent en toute sécurité, croît la racine de tous les métaux ;

« 4. Que cela est la Matière Première du Sage que Dieu a réjoui par la connaissance du plus grand Mystère de la Nature ;

« 5. Que la vertu de cette Nature se trouve dans le corps, c'est-à-dire dans le Sel, lequel Sel, ou corps, contient en lui-même le Soufre et le Mercure ; en d'autres termes, l'esprit et l'âme ;

« 6. Que la matière de ce très Grand Mystère se trouve dans le feu et l'eau, ou encore dans une eau imprégnée, eau qui n'est pas humide et ne mouille pas les doigts ;

« 7. Que toutes choses ne sont qu'une seule et même chose ;

« 8. Que cette eau ne peut subsister sans terre, laquelle

terre nourrit le feu et l'air par l'Esprit actif du Créateur ;

« 9. Qu'il y a un perpétuel échange entre l'Essence divine et les corps créés ;

« 10. Que l'Essence divine se manifeste par le feu et par l'eau aussi bien que par l'esprit et l'Ame ;

« 11. Que les choses créées sont mises au monde et exprimées par la terre et l'eau comme par les corps ;

« 12. Que là gisent le sacrement et le mystère de la correspondance entre l'œuvre philosophique de la plus haute science et l'harmonie de la sacro-sainte et Divine Trinité égale à Ergon plus Parergon. Et qu'à Dieu seul gloire soit rendue [1]. »

Il nous faut prendre ici congé des anciens alchimistes et de leurs grimoires. Ils se sont complu à commenter leurs mystères qui peu à peu ont perdu de leur attrait, tout comme ont été relégués les appareils dont ils usaient au cours de leurs travaux. L'alambic a remplacé le *kerotakis,* et le solitaire et secret philosophe, les participants aux Mystères de l'Antiquité. Il semble que dès le XVIIIe siècle l'alchimie ait été condamnée.

Il convient cependant de noter qu'elle a encore, çà et là, des adeptes. Mais progressera-t-elle encore, rien ne permet de l'affirmer. C'est au début du XIXe siècle que se situe la tragique histoire de James Price, de Stoke d'Abernon, qui, comme nous l'avons déjà dit, sommé d'effectuer devant témoins une transmutation, préféra le suicide au déshonneur. Ce triste épisode ne marqua pas la fin des recherches expérimentales, mais il se produisit, entre l'alchimie et la science, une coupure qui ne devait pas durer moins d'un siècle et demi.

(1) A.E. Waite : *The Brotherhood of the Rosy Cross* (Londres, 1924 ; réédition : University Books, New York, 1961).

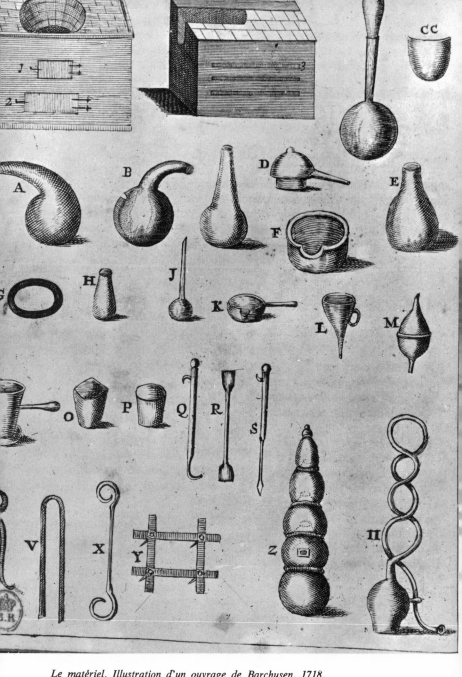

Le matériel. Illustration d'un ouvrage de Barchusen. 1718.

Alors que l'auteur de cet ouvrage effectuait des recherches dans la section des Monnaies et Médailles du British Museum, on lui fit admirer quelques belles reproductions de médailles alchimiques datant du XVIIIe siècle, ainsi qu'un étrange spécimen d'or apparemment brut. Il se présente comme une ramille dont une extrémité est en forme de cristaux tandis que l'autre est percée de petits trous comme si des gaz s'en étaient échappés pendant la fonte. Son poids démontre qu'il a la densité spécifique de l'or. Une étiquette telle qu'on en utilisait il y a quelque quatre-vingts ans, et indiquant qu'il s'agit là d'un spécimen d'or alchimique, y est attachée. Elle comporte également une référence à une note conservée dans un registre. Fort malheureusement registre et autres documents enfermés dans un coffre-fort de cette section du musée furent détruits, au cours de la dernière guerre, des bombes incendiaires étant tombées sur de vieux locaux. Le coffre-fort tint bon, mais il avait été soumis à une telle température que le vaisseau d'argent qu'il contenait fut transformé en un lingot informe, et les documents, en une fine cendre blanche. Nous ne possédons donc aucun renseignement exact sur la véritable origine de ce curieux petit fragment d'or. Nous savons par l'étiquette qu'il s'agit d'un spécimen ancien, mais pour le reste nous en sommes réduits aux suppositions.

Etant donné que Sir Joseph Banks fit don de nombreuses collections à la section d'Histoire Naturelle et d'Ethnographie du British Museum, on peut se demander si nous ne sommes pas là en présence d'un morceau de cet or que James Price affirmait avoir fabriqué, et qui aurait été offert au musée par Sir Joseph Banks. Mais il ne s'agit là, une fois de plus, que d'une supposition. Quoi qu'il en soit, l'histoire de ce petit fragment d'or est à jamais perdue. S'il ne nous apporte donc aucune preuve décisive, il n'en présente pas moins de l'intérêt pour le savant.

Peut-être ces monnaies alchimiques et ce petit morceau d'or ne sont-ils à nos yeux que des exceptions d'importance, quelques preuves matérielles et tangibles parmi une masse de documents confus, de falsifications délibérées et de charlataneries dont auraient honte les subtils escrocs d'aujourd'hui. Si ce sont cependant les réels produits d'un processus alchimique, tel qu'il nous fut décrit par les témoins faisant autorité que nous avons cités plus haut, malgré nos connaissances actuelles, ils restent pour nous inexplicables. Ils appartiennent sans doute à cet étrange monde mystique qui attendait cependant du processus alchimique des résultats matériels. Si la condition première, indispensable à de telles expériences, est que celui qui l'effectue soit lui-même parvenu au stade de la purification, alors les chances de réussite sont aussi faibles aujourd'hui que dans le passé. D'autre part, si nous avons connaissance, par des relations dignes de foi, d'une demi-douzaine environ de cas de fabrication d'or alchimique, nous ne devons pas oublier qu'ils s'étendent sur trois siècles. Chacune de ces relations contient des éléments qui l'apparentent à certains rêves ayant tendance à se répéter. Il y est toujours clairement dit que le véritable alchimiste, parvenu à un stade élevé de développement psychologique, avait la très nette conscience qu'en révélant le secret, il déclencherait de terribles maux. Il le ressentait même si fortement qu'il préféra parfois mourir plutôt que de trahir le divin secret. Il ne fait aucun doute que la quête du secret alchimique était singulièrement décevante. Il nous suffit de nous rappeler que presque tous les alchimistes sincères passèrent leurs plus belles années à le chercher en vain, et que la clé ne leur en fut donnée qu'à la fin de leur vie. L'adepte lui-même ne se sentait guère encouragé à poursuivre cette quête. De plus on ne pouvait devenir un adepte sans renoncer à la plupart des joies de ce monde. Pour que la *persona* se réalise, il fallait d'abord que l'*ego* s'efface. L'alchimiste sincère et convaincu devait être dépourvu de toute cupidité et, soit se consacrer à des œuvres charitables, ainsi que le fit Flamel, soit mettre sa science au service de la médecine, comme le fit Basile Valentin. Quelques alchimistes du xviiie siècle fabriquaient de l'or pour des princes, et moururent oubliés au fond de quelque cachot, tandis que l'or ainsi obtenu servait à financer des guerres cruelles. Non, décidément, le sort de l'alchimiste n'était ni doré ni enviable.

Illustration pour La Toyson d'or *de Trismosin. 1613.*

CHAPITRE XIII

L'or au noir

P LUS d'un siècle après la publication du livre de Mary Anne Atwood, le dernier document alchimique en date cité ici, comme l'auteur du présent ouvrage dînait en compagnie de quelques amis, l'un d'eux lui recommanda la lecture d'une œuvre de C. R. Cammell, membre de la Royal Society of Astronomy [1]. Un chapitre y était consacré à un alchimiste anglais qui, après avoir exercé sa profession dans le Surrey, passa les dernières années de sa vie à Eastbourne, où il mourut dans les années 60. Ce chapitre, soigneusement écrit, était des plus convaincants. Mr. Cammell, de par sa formation même le plus attentif et le plus objectif des témoins, vit son ami Archibald Cockren effectuer avec succès une expérience dans la plus pure tradition des anciennes techniques alchimiques. La relation qu'il en fait est plus succincte que celle d'Archibald Cockren lui-même, mais, fait indiscutable, pendant quelque six mois, Mr. Cammell put voir

(1) *Heart of Scotland* (Robert Hale, Londres, 1956).

un « cristal » d'or émergeant d'une masse noire, croître et se développer, telle une cactée — le spécimen, plus ancien, du British Museum a l'aspect d'une ramille — à l'intérieur d'un vase hermétiquement scellé, et ceci dans le laboratoire même de Cockren. Cela se passait dans les années 50. Mr. Cammell établit une très judicieuse comparaison entre sa propre relation et un passage d'un ouvrage de Paracelse, *De la Nature des Choses,* Livre II (Londres, 1950).

« Il est également possible que l'Or, de par l'industrie et l'habileté d'un alchimiste versé en son art, soit à ce point exalté qu'il puisse croître sous verre, comme un arbre, avec de nombreuses et magnifiques branches et feuilles, ce qui en vérité est chose plaisante à observer et des plus merveilleuses. »

Suit une rubrique marginale intitulée : *Comment est fait l'Arbre Philosophique.*

« Voici quel en est le processus. Fais calciner l'Or à l'aide de l'*Aqua Regis* jusqu'à ce qu'il se transforme en une sorte de craie que tu mettras dans une cornue de verre, et verse dessus une autre et bonne *Aqua Regis* qui la recouvrira d'une épaisseur de quatre doigts ; puis soumets-la au troisième degré de chaleur jusqu'à ce qu'elle ne monte plus. L'eau ainsi distillée, verse-la à nouveau puis distille-la à nouveau. Fais cela assez longtemps pour voir l'Or monter dans la cornue et se mettre à croître comme un arbre avec beaucoup de branches et de feuilles ; et c'est ainsi que l'or se transforme en un merveilleux et très plaisant buisson que les alchimistes appellent leur Herbe d'Or, et l'Arbre des Philosophes. En cette même manière, tu peux procéder avec l'argent et avec d'autres métaux aussi ; cependant aie soin que leur calcination s'effectue d'une autre manière, avec une autre *Aqua Fortis,*

Les eaux de vie et l'arbre de vie
sont entourés par les alchimistes. XVIe siècle.▶

soin que je laisse à ton expérience. Si tu es habile en alchimie tu ne pourras te tromper en ces choses. »

Ce passage se lit comme la plaisante démonstration d'un passe-temps : Fais dissoudre un peu d'or dans de l'*Aqua Regis,* puis chauffe les cristaux qui se sont formés dans la solution jusqu'à ce qu'il en résulte une poudre blanche et amorphe ; purifie-la avec une nouvelle dose d'acide, dessèche-la à nouveau et fais-la chauffer à feu doux. Les particules d'or contenues dans l'almalgame s'en détacheront alors, s'aggloméreront lentement et prendront la forme d'un arbre de « cristaux » d'or pur. La relation de Cockren est infiniment plus complète et moins simpliste. En fait, comme nous le verrons, il va même plus loin que Paracelse.

Cockren avait reçu une formation scientifique. Son domaine professionnel, où il se distingua, fut le massage. Il obtint de remarquables résultats dans une unité sanitaire au cours de la guerre de 14-18, et fut un des pionniers de l'électro-massage. Ses amis — certains vivent encore — le considèrent comme un homme intelligent, entreprenant, qui eut le courage de se livrer à des expériences dans une discipline obscure et pour autant dire discréditée. Et ils l'estiment incapable de fraude intentionnelle. L'œuvre qu'il a laissée est claire et simple. Dans *Alchemy Rediscovered and Restored* (1940), il étudie les Anciens qui faisaient autorité et rappelle la tradition qui veut qu'Hermès Trismégiste ait œuvré en Egypte aux environs de l'an 1900 av. J.-C. sous la magnifique XIIᵉ Dynastie, au temps où régnait Sésostris II, ce qui correspond, en Angleterre, au début du Stonehenge. La note qu'il consacre à la destruction, par Dioclétien, en l'an 296 de notre ère, des œuvres alchimiques égyptiennes, explique la confusion qui devait régner par la suite. Il y inclut quelques intéressantes traductions d'ouvrages de Nicolas Flamel et du comte de Saint-Germain. Il exprime la quintessence alchimique par l'équation suivante : lumière astrale = éther impondérable = quintessence = électricité = *prana* védique. Cockren était versé aussi bien dans la science que dans la philosophie de son temps, et il avait une très bonne connaissance des œuvres des alchimistes. Mais lui aussi nous déclare que c'est un devoir impérieux, pour les adeptes, de toujours se souvenir que le secret ne doit jamais être révélé. Ainsi, bien que ses vues soient modernes, il garde un silence absolu sur les substances dont il usait en tant que *materia prima*. Tout comme Basile Valentin, il voyait avant tout, dans l'alchimie, un processus médical, et suivait avec intérêt les travaux de Robert Vaughan. Et c'est ainsi qu'il associe son approche philosophique à la répétition d'anciennes expériences. Il avait sur ses prédécesseurs cet avantage considérable de disposer de tout un appareil de laboratoire fait d'un verre capable de résister infiniment mieux que celui des temps anciens aux pressions et aux variations de température. Il disposait également de moyens infiniment plus exacts de dosage de la chaleur, et pouvait la calculer avec une infiniment plus grande précision en degrés centigrades et non selon les quatre degrés des temps anciens. A chaque stade de son expérience, il compare ses notes avec celles du passé et, sa description terminée, il cite le *Traité sur l'Or d'Hermès Trismégiste* et le *Livre de la Révélation d'Hermès* de Paracelse, ce qui nous permet de constater avec quelle fidélité. il suivait l'ancienne tradition.

Cockren nous dit ici comment, semblable en cela à tant d'autres adeptes, il effectua pendant quarante ans des travaux expérimentaux avant de découvrir le secret, gage de succès. Voici la révélation qu'il fait de son ultime expérience :

« J'entrepris alors une nouvelle série d'expériences avec

261

un métal que je n'avais pas jusque-là expérimenté. Ce métal, après avoir été longuement réduit à son essentiel, puis dissocié, me permit de préparer un dépôt par distillation du Mercure des Philosophes, de l'Aqua Benedicta, de l'Aqua Celesta et de l'Eau du Paradis.

« Le premier signe de succès se manifesta par un fort sifflement suivi d'un jet de vapeur qui, s'échappant de la cornue, gagna le réceptable avec le crépitement d'une rafale de mitrailleuse. Puis se produisit une violente explosion, tandis qu'une odeur à la fois puissante et subtile emplissait le laboratoire et ses dégagements. Un de mes amis dit de cette odeur qu'elle lui rappelait la terre humide de rosée par un matin de juin, l'air embaumé par les fleurs fraîches écloses, la brise passant sur une colline couverte de bruyère, et la douce odeur de la pluie tombant sur une terre assoiffée.

« Nicolas Flamel qui s'était livré, dès l'âge de vingt ans, à des recherches et à des expériences, écrivit, devenu octogénaire : « Je découvris enfin ce que j'avais tant « désiré et je le compris à peine monta à mes narines « un doux et puissant parfum. » Cette voix qui me parvenait du XIVe siècle n'établissait-elle pas une coïncidence avec la découverte que je fis de cette odeur à la fois particulière et subtile ? Cremer écrivit, lui aussi, au début du XIVe siècle : « Lorsque se produisit cet heureux « événement, la maison tout entière fut emplie d'une mer- « veilleuse et délicieuse fragrance, et ce fut le jour de « la nativité de cette bienheureuse préparation. »

« Arrivé à ce point, la difficulté suivante consistait à trouver le moyen d'emmagasiner ce gaz subtil sans mettre en danger le local. J'y parvins grâce à des serpentins de verre aspirant l'eau et reliés à mon réceptacle, et grâce également à une parfaite gradation de la chaleur ; ce gaz se condensa peu à peu en une eau couleur d'or clair, extrêmement inflammable et volatile. Il me fallut alors traiter cette eau par distillation et j'obtins l'eau blanche mercurielle que le comte de Saint-Germain baptisa *athoeter,* ou eau première de tous les métaux.

« Je citerai à nouveau, dans l'introduction de Manley Hall à la *Trois Fois Sainte Trinosophie,* le paragraphe où Casanova décrit l'*athoeter. :* « Il me montra alors « son magistère qu'il appelait l'*Athoeter.* C'était un liquide « blanc contenu dans une fiole de verre. Il me déclara « que ce liquide n'était autre que l'Esprit Universel de « la Nature, et que si l'on perçait de trous, même minus-« cules, la cire qui scellait la fiole, le contenu en dispa-« raîtrait. Je l'implorai alors de m'en faire la démons-« tration. Sur quoi, il me tendit la fiole et une pointe, « et je perçai moi-même la cire, et voilà qu'en un instant « la fiole fut vide. » Ce passage décrivit de façon très imagée l'eau, si volatile qu'elle s'évapore si on ne la contient pas, bout à une très basse température, et ne mouille même pas les doigts. Cette eau mercurielle, cette *Athoeter* du comte de Saint-Germain, est absolument indispensable à la préparation de l'huile d'or que l'on obtient par l'addition de sels d'or après avoir lavé à plusieurs reprises lesdits sels d'or pour en retirer la forte acidité de l'*aqua regia* employée pour réduire le métal à cet état. Lorsqu'on ajoute l'eau mercurielle à ces sels d'or il se produit un léger sifflement, une augmentation de chaleur et l'or se transforme en un liquide d'un rouge foncé, d'où l'on tire par distillation l'huile d'or, un liquide de la couleur de l'ambre foncé, et d'une consistance égale. Cette huile, qui est l'or potable des alchimistes, ne reprend jamais la forme métallique de l'or. Je comprends maintenant, du moins je le crois, pourquoi certains malades auxquels on a fait des injections de sels d'or ont succombé à un empoisonnement par l'or. Aussi longtemps que ces sels sont dans une solution acide, ils restent solubles, mais aussitôt que le dissolvant perd de son acidité et devient neutre ou alcalin, les sels ont tendance à former à nouveau de l'or métallique. C'est probablement ce qui se passe dans le cas d'injections de sels d'or dans les fluides intercellulaires qui aboutissent parfois à une issue fatale.

« Mais n'allez pas imaginer que les chimistes sachent tout des métaux ! Il n'en est rien.

« ... C'est de l'eau d'or que j'ai décrite que l'on peut obtenir cette eau blanche, et une teinture d'un rouge sombre qui fonce encore lorsqu'on la conserve ; il s'agit là du Mercure et du Soufre décrits par les alchimistes, Sol, le Père, et Luna, la Mère, les Principes Mâle et Femelle, les Mercures blancs et rouges qui, réunis, forment à nouveau un liquide de couleur ambre foncé. C'est l'Or Philosophique qui n'est pas fait d'or métallique, mais d'un autre métal, et qui est un élixir infiniment plus puissant que l'huile d'or. Ce liquide, couleur d'ambre foncé, scintille littéralement et reflète et intensifie les rayons de la lumière à un degré extraordinaire. Il a été décrit par de nombreux alchimistes, fait qui corrobore mes travaux de laboratoire. En effet, à chaque stade de mes travaux, j'ai retrouvé l'œuvre même des disciples de l'Art Spagirique.

« ... Et maintenant venons-en au but final, la Pierre Philosophale. Ayant découvert que mes deux principes étaient le Mercure et le Soufre, le stade suivant consista à purifier le corps mort du métal, c'est-à-dire les scories noires subsistant après soutirage de l'eau d'or. Je les calcinai au rouge, les séparai soigneusement et les traitai jusqu'à ce qu'elles se transforment en un sel blanc. Ces trois principes réunis en quantité donnée dans un vase hermétiquement scellé sont alors soumis à une chaleur

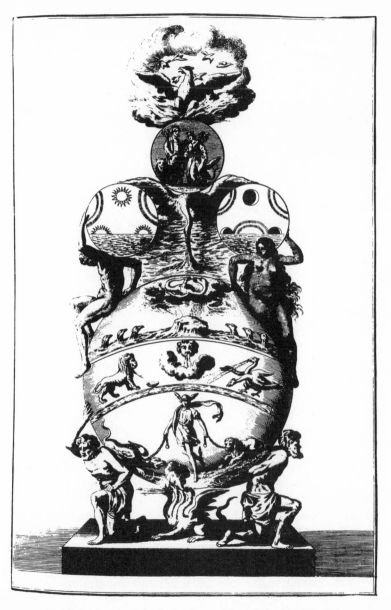

Emblème du travail et de la pierre philosophale. XVIIIᵉ siècle.

régulière, ni trop forte ni trop faible, l'exact degré de chaleur étant chose essentielle, et toute négligence à cet égard risquant d'être fatale à la mixture.

« Amalgamée, la mixture acquiert l'apparence d'une bouillie de plomb qui lève doucement, comme de la pâte, jusqu'à ce qu'il en surgisse une formation cristalline, rappelant par sa croissance le corail. Les « fleurs » de cette plante ont des pétales de cristal qui changent perpétuellement de couleur. En augmentant la chaleur, cette formation fond et se transforme en un liquide de couleur ambrée qui s'épaissit graduellement et finit par former, au fond du réceptacle de verre, une masse de terre noire. Arrivé à ce point (le signe du Corbeau dans la littérature alchimique), on ajoute du ferment, ou du Mercure. Pour ce processus, qui est celui d'une sublimation continue, on utilise une cornue au long col, hermétiquement scellée, où l'on peut voir la vapeur s'élever dans le col et se condenser sur les parois. Ce processus doit être continué jusqu'à ce que soit atteinte la « noirceur sèche ». Lorsqu'on y ajoute un peu de Mercure, la poudre noire se dissout et il semble que de cette conjonction naisse une nouvelle substance, ou comme l'auraient dit les alchimistes anciens, qu'un Fils soit né. A mesure que s'atténue la couleur noire, d'autres couleurs apparaissent et disparaissent jusqu'à ce que la mixture devienne d'un blanc éclatant : l'Elixir blanc. On élève alors graduellement la chaleur ; le blanc se transforme peu à peu en jaune citrin, et finalement en rouge... L'*Elixir Vitae,* la *Pierre Philosophale,* la Médecine des Hommes et des Métaux. D'après leurs relations, il semble que nombreux aient été les alchimistes qui aient estimé superflu d'amener l'Elixir à ce stade ultime, la solution de couleur citrine remplissant le but désiré.

« Il est intéressant de noter qu'une manifestation entièrement différente se produit après la séparation des trois éléments et leur réunion dans le vase scellé d'Hermès. Par une séparation délibérée, suivie d'une réunion du Mercure, du Soufre et du Sel, on obtient une manifestation infiniment plus parfaite qu'auparavant de ces trois éléments. »

Cette dernière relation d'un processus de transmutation ne diffère guère de celles de temps plus anciens, à cette exception près qu'elle contient quelques termes plus précis et que sa conception est infiniment plus pragmatique. Cependant, le secret soigneusement gardé sur les substances de base, et l'emploi de symboles anciens nous laissent dans l'expectative. Une chose nous est décrite, non seulement par l'alchimiste lui-même, mais également par un témoin et elle est en complet désaccord avec les prévisions scientifiques.

Le contraste est total. Mais un des grands concepts de l'alchimie est que l'unité essentielle est accomplie par la réunion des contraires. Nous ne pouvons, dans ce cas, que réserver notre jugement en raison, d'une part, des très personnelles affirmations des alchimistes, et, l'autre, de la certitude qu'ont aujourd'hui les savants que la structure de base de la matière est indéterminée et parfois même imprévisible. Il est clair que les quelques rares relations alchimiques dignes de foi abordaient le problème d'un point de vue scientifique. Ce qui prête à confusion, c'est le jargon curieusement antiscientifique délibérément adopté par les alchimistes et qui rendait leurs exposés presque aussi obscurs pour eux que pour nous. Les conceptions médiévales et classiques sur l'univers et sur la structure de la matière étaient exactes du point de vue empirique, mais des recherches ultérieures démontrèrent que l'exposé qu'ils en faisaient était insuffisant. En plus de leurs omissions délibérées et de leur façon de brouiller les pistes, nous devons compter avec le fait qu'à notre connaissance nouvelle de la structure de l'univers correspond un langage scientifique nouveau.

Cockren, rendant compte de ses recherches expérimentales, nous donne la relation de phénomènes récemment observés par lui qui sont à l'image fidèle des classiques expériences alchimiques. Le détail suggestif d'une odeur à la fois puissante et suave laisse à penser qu'il s'est passé quelque chose qui a donné naissance à de l'ozone (molécule instable de trois atomes d'oxygène), état transitoire de l'oxygène produit par une forte tension électrique. Rien d'étonnant à ce que le distillat, extrêmement volatil, et les substances huileuses colorées se mélangent, mais ce qui est surprenant c'est que lorsqu'on les sépare, puis les mélange à nouveau, il s'effectue un changement considérable. C'est sans doute une question de regroupement moléculaire, un peu ce qui se produit lorsqu'on fait fondre du soufre jaune cristallisé, qu'on le porte à ébullition et qu'en refroidissant il se congèle en une substance rougeâtre d'une gelée compacte. Le soufre continue de jouer un rôle important dans le processus alchimique. La dernière expérience de Cockren, dont Mr. Cammell nous a fait la description, et qui aboutit à ce cristal d'or ayant la forme d'une branche de corail, émergeant à l'intérieur du vase scellé d'une *massa confusa* noire, reste, étant donné nos connaissances actuelles, absolument inexplicable, mais dans les cercles alchimiques il y a eu des précédents à un tel phénomène. Ce que nous ignorons, c'est si Cockren, en poursuivant ses expériences, en arriva à fabriquer la véritable poudre rouge, ou encore cette sorte de cire dure et dorée qu'est la Pierre, capable d'effectuer la transmutation matérielle d'une quantité beaucoup plus importante de plomb ou de mercure.

Dans le récit d'Helvétius, la coruscation, ou vif éclat,

d'une lumière colorée qui suit l'addition de la mystérieuse Pierre au plomb en fusion contenu dans le creuset,
nous suggère à nouveau qu'il pourrait s'agir là d'un phénomène électrique inconnu de nous. Les alchimistes auraient-
ils fabriqué un globe de feu à l'état solide ? La chose est
hautement improbable. Cependant, des forces considérables durent être libérées et s'il y a peu de chance pour
qu'il se soit agi d'un explosif tel que le fulminate de
mercure, il n'en reste pas moins qu'il y avait un danger
d'explosion de par la pression de la vapeur que Cockren
put éviter grâce à son équipement moderne. En effet,
le phénomène qui se manifesta par de secs crépitements
comparables aux rafales d'une mitrailleuse, décrit par un
homme ayant pris part à la Première Guerre mondiale,
dut être d'une rare violence. Peut-être était-il de la nature
d'un plasma gazeux.

Quant à l'élixir, Cockren ne nous apprend rien de
nouveau, sauf qu'ayant lui-même des notions de médecine, il savait certainement de quoi il parlait en décrivant l'extrême volatilité d'une des substances. C'est à des
alchimistes médiévaux que nous devons la découverte de
l'alcool et de bien d'autres substances à la fois acides
et alcalines. L'alcaest pourrait bien être l'esprit volatil,
origine de cette étrange odeur qui s'échappait de vases
même hermétiquement scellés. Les sels d'or auxquels il
fait allusion intéressaient Cockren du point de vue professionnel, et ne correspondent nullement à l'idée que
nous nous faisons d'une panacée universelle. Peut-être y
avait-il dans la personnalité même d'un alchimiste convaincu
un élément bénéfique que l'on peut comparer à celui de
la guérison par la foi. Nous en avons un exemple avec
Sir Kenelm Digby qui, en plus de nombreuses et brillantes
réussites, s'acquit une réputation de guérisseur en se faisant
envoyer par des malades des pansements ayant été en

contact avec les parties atteintes. Il imposait alors les mains sur ces pansements, les traitait avec un acide, probablement du vitriol, et effectuait ainsi des guérisons à distance. C'est là un phénomène rarement associé aux alchimistes, mais sans aucun doute ce petit groupe de philosophes bien intentionnés considéraient l'art de guérir comme une des vertus primordiales de leur Pierre.

Ce n'est pas uniquement dans le domaine des phénomènes physiques que réside le mystère de l'alchimie, mais également dans celui du développement psychique. Il est clair qu'en nous livrant à l'étude des alchimistes il nous faut accepter leur double voie en tant qu'unification de leurs concepts physiques et psychiques. Comme nous le savons, le processus alchimique reflète la projection intensifiée du développement normal de la psyché. Il dut en résulter une profonde compréhension de l'ensemble du processus de la vie humaine et des rapports de l'individu avec l'univers physique. Cependant, aspirer à l'intégration personnelle ne signifie pas fatalement que l'on soit doué du pouvoir d'accomplir des miracles matériels. Certes les anciens alchimistes ne cessèrent d'appliquer à leur œuvre cette biblique parabole de la foi qui soulève les montagnes. Néanmoins nous ne trouvons pas, dans la vie publique d'aujourd'hui, l'équivalent des alchimistes d'autrefois. Nous ignorons s'il existe quelque part dans le monde un vieux et doux philosophe guérissant des malades à l'aide de miraculeuses potions à base d'or, ou fabriquant le plus tranquillement du monde des monceaux d'or pour les distribuer aux pauvres. Dans notre monde actuel, il serait, premièrement maudit par le Corps médical, et deuxièmement, poursuivi par le fisc. Un Etat où règne même une certaine tolérance serait ennemi de l'alchimiste, cet anachronisme. En effet, l'alchimiste a besoin d'une liberté d'action et de pensée qui n'existe plus aujourd'hui ;

Frontispice de **La Toyson d'or** *de Trismosin. 1613.*

l'Etat obéit à la nécessité d'organiser la main-d'œuvre pour le bien-être d'une collectivité sans cesse grandissante. Le problème reste entier. Une seule réponse, et alchimique, celle de la réconciliation et de l'union des contraires. Comment cela peut-il se produire, nul ne le sait.

Comme nous l'avons vu, nous avons la preuve qu'en de rares occasions, l'alchimiste a fabriqué d'utiles médecines et un or magnifique. L'expérience effectuée au XXe siècle et qui nous est décrite par Archibald Cockren lui-même en est une preuve supplémentaire. Cockren qui disposait d'un moderne laboratoire, et y consacra beaucoup de temps, suivit fidèlement un processus ancien qui aboutit à des résultats positifs. Il mit à l'épreuve des méthodes considérées jusque-là comme absurdes et stériles. Or elles produisirent en réalité un résultat, mais d'une façon pour nous inexplicable. La récompense de cette longue période de patientes expériences, d'échecs, suivis de nouvelles tentatives, fut considérable du point de vue du philosophe qui ne demandait qu'une chose, voir se dérouler devant ses yeux l'incroyable phénomène de la transmutation. Du point de vue matériel, ce ne fut pas une aventure profitable. Le prix des appareils, les dépenses engagées dépassèrent, et de loin, la valeur du produit de la découverte. Vouer la moitié de sa vie à une œuvre de patience et de longue haleine ne fait pas vivre son homme.

Le meilleur titre que l'on puisse décerner à l'alchimiste est celui d'artiste. Il lui fallait s'engager sans esprit de retour sur la longue et mystérieuse voie qui le mènerait jusqu'à la conclusion de sa quête. Comme en art, cette quête n'a jamais été clairement définie. Le développement de la personnalité aboutissait à cette illumination que recherche tout mystique et s'accompagnait parfois du pouvoir d'effectuer une mystérieuse transmutation. Nous n'avons aucune raison de soupçonner les alchimistes de folie. Quelques rares exemples de transmutation, sévèrement contrôlés, suffirent à encourager un petit groupe de chercheurs à se vouer à une quête fantastique qui absorbait toutes leurs énergies. Peut-être étaient-ils des originaux, mais ce terme n'a rien de déshonorant.

L'art alchimique excita la curiosité et la cupidité du public. Il donna également prétexte à d'innombrables charlatans et imposteurs. Au doute succéda le mépris, et parfois même la haine. On traita non seulement les alchimistes de tricheurs ou de fous, mais beaucoup furent même accusés d'entretenir avec le diable un coupable commerce. Après des années de popularité, l'attention se détourna de cet art, sauf dans les cercles restreints d'occultistes et de gens désireux de découvrir ce qui se cachait derrière ce que l'on tenait bien souvent pour simple superstition. Comme nous l'avons vu, la moisson est maigre.

Le témoignage d'Archibald Cockren nous fait hésiter à porter un jugement sur les alchimistes. Qu'ils aient tous été des charlatans et des imposteurs reste à prouver. Seul l'avenir nous apportera une claire compréhension du sujet qui fit la matière de cet ouvrage.

Conclusion

Il est difficile d'apporter une conclusion à un tel sujet. Cette disposition spirituelle qui pousse l'homme à acquérir la secrète connaissance et à puiser une joie profonde dans son union en Dieu se perpétuera aussi longtemps que les hommes vivront. Cette connaissance n'a rien de maléfique en soi, mais elle est réservée à un petit nombre. Ainsi que l'ont sagement compris les alchimistes, les humains n'atteignent pas tous au même degré de développement, et la connaissance des secrets de la nature ne doit pas être révélée à la masse. C'est là une connaissance réservée à l'humble et obscur philosophe, et non au brillant meneur d'hommes, ou au dictateur.

Les débuts de l'alchimie remontent à la découverte, par l'homme, des métaux et de leurs mystérieuses propriétés. Cockren, lorsqu'il en fixe la date à 1900 av. J.-C., ne se trompe peut-être pas de beaucoup. Mais depuis les premiers énoncés des doctrines alchimiques, il s'est créé un lien entre le monde de la Nature et le pouvoir créateur de Dieu. L'alchimie prit naissance et se développa dans un monde qui, par sa structure sociale, rendait impossible une philosophie à base de matérialisme dialectique. L'humanité n'avait pas encore eu à subir les affreuses conditions sociales qu'amena, en Grande-Bretagne et en Allemagne, la révolution industrielle, et la conception d'un univers matériel puissamment structuré n'existait pas encore. William Blake fit entendre les paroles prophétiques du véritable humaniste lorsqu'il dénonça « les sombres et sataniques manufactures ». L'alchimiste estimait la recherche du pouvoir et du profit incompatible avec la possession d'une connaissance lui donnant un pouvoir que le grand nombre ne concevait même pas dans ses rêves les plus fous.

Vie et création furent les deux pôles de la pensée alchimique, et cela déjà au temps des cultes primitifs que l'on vouait à la Terre et au Ciel. On établit une similitude entre le monde de la Nature et celui de l'homme, et entre cette merveille qu'est la génération humaine et les rapports existant entre le Créateur et le créé. La doctrine alchimique dut se répandre au Moyen-Orient bien avant la fondation de l'Empire romain. Qu'elle se soit développée d'abord en Egypte, rien d'étonnant à cela, les conditions climatiques idéales et la fertilisation des terres due à la crue annuelle du Nil l'expliquent. Ce furent les échanges commerciaux et religieux qui répandirent l'alchimie au-delà des frontières. Les philosophes grecs établirent un parallèle entre cette doctrine hermétique et leurs Mystères. Les Ptolémées dotèrent l'Egypte de la magnifique université et du *Museion* d'Alexandrie. C'est là que l'alchimie, de simple pratique expérimentale, se transforma en un véritable culte. Sans aucun doute, Marie la Juive compta parmi les enseignants de ce grand centre de culture et de civilisation.

Lorsque les Arabes arrivèrent au pouvoir, leurs philosophes ne tardèrent pas à dépasser leurs maîtres. Ils se préoccupaient moins de préserver la tradition alchimique que de développer le côté scientifique de cette discipline. Ils enseignèrent à leur tour aux Européens à se livrer à de plus profondes spéculations sur les mystères du monde physique. Ce fut sous la féconde influence des érudits arabes et catholiques que le fil de l'alchimie courut, à l'Age des Ténèbres, dans la trame de la religion et qu'elle se développa, tant du point de vue philosophique que scientifique, au Moyen Age et au début de la Renaissance.

La Réforme, et l'enseignement séculier qui s'ensuivit, ne mirent pas fin aux anciennes croyances occultes et aux étranges pratiques des alchimistes. Ils acquirent la renommée, et surent éviter les dangers qui l'accompagnent.

Puis vint l'effondrement de tous leurs espoirs. Ils furent désormais considérés, non comme des hommes de science, mais comme des êtres secrets, mystérieux, et certains d'entre eux s'affilièrent à des sociétés ésotériques, tout aussi secrètes et mystérieuses. Peu à peu le sujet tout entier fut abandonné et il ne subsista plus que quelques rares expérimentateurs cherchant à retrouver la voie perdue. Aux heures les plus noires de leur histoire, Mary Anne Atwood consacra à l'alchimie une importante œuvre enrichie de nombreux textes anciens, suscitant ainsi envers l'art hermétique un regain d'intérêt. Les savants se refusaient à pousser leurs recherches au-delà des limites de la raison, mais quelques individus isolés se penchèrent à nouveau sur ce problème. Archibald Cockren est certainement celui qui, au cours des dernières années, a remporté le plus de succès. Il reste encore beaucoup à apprendre sur l'alchimie aussi bien que sur le développement de la nature humaine qui apportera l'or spirituel de la véritable individuation à la personnalité tout entière.

Symboles alchimiques

Les sept métaux planétaires

☉ Or   Sol

☽ Argent   Luna

♀ Cuivre   Vénus

♂ Fer   Mars

☿ Mercure   Mercure

♄ Plomb   Saturne

♃ Etain   Jupiter

♌ Le Lion Digestion

♍ La Vierge Distillation

♎ La Balance Sublimation

♏ Le Scorpion Séparation

♐ Le Sagittaire Création

♑ Le Capricorne Fermentation

♒ Le Verseau Multiplication

♓ Les Poissons Projection

Les douze Processus selon les signes du Zodiaque

♈ Le Bélier Calcination

♉ Le Taureau Congélation

♊ Les Gémeaux Fixation

♋ Le Cancer Solution

☿ Sulimat de Mercure

Quelques autres Symboles

□ Sel commun

✳ Sel ammoniac

Ⓗ Sel fixé

♁ Réalgar

☿ ♎] (Exemple de signes combinés...)

Les quatre Eléments

Air △   Feu △

Eau ▽   Terre ▽

Bibliographie

Il existe sept importants recueils d'études alchimiques dans lesquels nous avons puisé la plupart de nos matériaux sur le sujet. Dans la courte liste suivante, le titre de chaque recueil est précédé d'une lettre entre parenthèses. Cette lettre, lorsqu'on la retrouve dans la bibliographie qui suit, signifie que l'œuvre en question se trouve dans le recueil désigné par ladite lettre.

(A) ARS CHEMICA, quod se licita recte exercentibus, probationes doctissimorum iurisconsultorum, Strasbourg, 1566.

(B) ARTIS AURIFERAE quam chemiam vocant, Bâle, 2 vol., 1593 (éditions de 1572, et 1610).

(C) BIBLIOTHECA CHEMICA CURIOSA, seu Rerum ad Alchemiam pertinentium thesaurus instructissimus... 2 vol., Genève, 1702.

(D) DE ALCHEMIA : In hoc volumine de Alchemia continenta haec... Nuremberg, 1541.

(E) MUSAEUM HERMETICUM reformatum et amplificatum, Francfort/Main, 1678.

(F) THEATRUM CHEMICUM, praecipuos selectorum auctorum tractatus. Vol. I, II, III, Ursel, 1602 ; vol. IV, V, VI, Strasbourg, 1613, 1622, 1661.

(G) THEATRUM CHEMICUM BRITANNICUM : avec des annotations de Elias Ashmole, Londres, 1652.

Abu 'l-Qasim Muhammad ibn Ahmad al-Iraqui : Book of Knowledge acquired concerning the cultivation of Gold (trans. E. J. Holmyard), Paris, 1923.

Aegidius de Vadis : Dialogus inter Naturam et filium philosophiae (F).

Agrippa von Nettesheim, Cornelius : The Vanity of Arts and Sciences, Londres, 1676.

BIBLIOGRAPHIE

Albertus Magnus, Saint : *Liber octo capitulorum de lapide philosophorum* (F).

— *Scriptum super arborem Aristotelis* (F).

'Ali, M. Turab : *Three Arabic Treatises on Alchemy by Muhammad bin Umail.* Memoirs of the Asiatic Society of Bengal. XII. Calcutta, 1933.

Allegoria Merlini (B).

Allegoriae sapientum supra librum Turbae XXIX distinctiones (F).

Allegoriae super librum (B).

Altus (peudonyme) : *Mutus Liber,* La Rochelle, 1677 aussi dans (C).

Ambix, Londres, édité par F. Sherwood Taylor, 1937.

Antonie, Francis : *Aurum Potabile; or the receipt of Fr. Antonie,* Londres, 1893 et 1963.

Aphorisme Basiliani sive Canones Hermetici (F).

Aquarium sapientum (E).

Arcanum Hermeticae philosophiae opus, Genève, 1653.

Arisleus : *Visio Arislei* (B).

Aristotle (pseudonyme) : *Tractatus Aristotleis Alchymistae ad Alexandrum Magnum, de Lapide philosophico* (B) et (F).

Arnaldus de Villa Nova : *Speculum Alchimiae* (F).

— *Thesaurus Thesaurum* (B).

— *Rosarius* (B).

Artefius : *Clavis maioris sapientiae* (C) et (F).

Atwood, Mary Anne : *A Suggestive Enquiry into the Hermetic Mystery,* édition revue, Belfast, 1920 ; New York, 1960.

Aurelia occultum philosophorum (F).

Aurum Vellus (F).

Aurora consurgens (B).

Authoris ignoti, philosophici lapidis secreta metaphorici describensis (B).

Avicenne : *Tractatulus Avicienae* (B).

Bacxstrom, Sigismund : *Alchemical Anthology,* Londres, 1960.

Bernard de Trévise : *Liber de alchemia : De chemico miraculo quod lapidem philosophiae appelant* (F).

279

LE SAVOIR CACHÉ DES ALCHIMISTES

Berthelot, Marcellin : *La Chimie au Moyen Age,* 3 vol., Paris, 1893.
— *Collections des anciens alchimistes grecs,* Paris, 1885.
— *Les Origines de l'Alchimie,* Paris, 1885.
Boehme, Jakob : *The Works of Jacob Behmen,* 4 vol., Londres, 1761-1781.
Bonus, Petrus : *Pretiosa margarits novella* (C) et (F)
Bouche-Leclercq, Auguste : *L'Astrologie grecque,* Paris, 1899.
Budge, E. A. Wallis : *The Gods of the Egyptians,* 2 vol., Londres, 1904.
Cammell, Charles R. : *Heart of Scotland,* Londres 1956.
Christopher of Paris : *Elucidarius artis transmutatoriae metallorum summa major* (G).
Cockren Archibald : *Alchemy Rediscovered and Restored,* Londres 1956.
Codices et MSS :
Berlin : *Cod. Berolinus Latinus* 532, fol. 147-164.
Florence, Bibliothèque Laurentienne : Ashburnham MS 1166 ; *Miscellanea de alchimia,* XIVe siècle.
Oxford, Bodleian Library : MS Ashmole, 1394, Ripley : *Cantilena,* XVIIe siècle.
— MS Ashmole 1445, Ripley : *Cantilena.*
— MS Bruce 96 (*Codex Brucianus*) *A Coptic Gnostic Treatise.*
Paris, Bibliothèque nationale : MS 2327, *Livre sur l'Art de faire l'or,* 1478.
— MS Français 14765, *Abraham le Juif : Livre des figures hiéroglyphiques.*
Saint-Gall : *Codex Germanicus Alchemicus Vadiensis.* XVIe siècle.
Consilium Conjugii : (A), (C) et (F).
Curtius, Ernest Robert : *European Literature and the Later Middle Ages,* New Yord, Bollingen Series XXXVI, et Londres, 1953.
Dee, John : *Monas Hieroglyphica* (F).
Delphinas : *Liber secreti maximi* (F).
De magni lapidis compositione et operatione (F).

BIBLIOGRAPHIE

D'Espagnet : *Arcanum Hermeticae philosophiae opus* (C).
Dorn, Gerhard : Neuf ouvrages compris dans (F).
— *Theoprasti Paracelsi Libri V de Vita longa,* Francfort s/Main 1583.
Eisler Robert : *Zur Terminologie and Geschichte der jüdischen Alchemie (Monatschrift f. Geschichte u. Wissenschaft der Judentums),* Dresde, vol. LXX, pp. 194-201, 1926.
Epistola ad Hermannum archiepiscopum Coloniensem de lapide philosophorum (F).
Flamel, Nicolas : *Nicolas Flamel, his explanation of the hieroglyphicall figures, etc.,* by Eirenaeus Orandys, Londres 1624.
— *Summarium philosophicum* (E).
Franz, Marie-Louise von : *Aurora consurgens ; A document of the Alchemical Problem of Opposites, Attributed to Thomas Aquinas,* New York (Bollingen Series) et Londres, 1963.
Geber (Jabir) : *Summa perfectionis* (D).
— *Works,* Londres, 1678 ; éd. E.J. Holmyard, Londres 1928.
Goethe Johann Wolfgang von : *Faust* trad. anglaise, 2 vols Harmondsworth, 1949 et 1959.
Grasseus, Johannes : *Arca Arcani* (F).
Gratarolus, Guilielmus : *Verae alchemiae artisque metallicae, citra enigmata,* Bâle, 1561 et (B).
Greverus, Jodocus : *Secretum* (F).
Hastings, James : *Encyclopaedia of Religion and Ethics,* 13 vols, Edimbourg et New York, 1908-1927.
Helvetuis, Johann Friedrich : *Vitulus aureus* (E).
Hermas : *The Shepherd* in *The Apostolic Fathers,* vol. II (Loeb Classical Library), Londres et New York, 1913.
Hermès Trismégiste : *Tractatus aureus* (C) et (A).
Hoffman, Ernst Th. William : *The Devil's Elixir,* 2 vol., Edimbourg, 1824.
Hoghelande Theobald de : *De alchemiae difficultatibus* (C) et (F).
Hollandus Johannes Isaacus : *Fragmentum de opere philosophorum* et *Operum mineralium liber* (F).
Holmyard, Eric J. (trans) : *Abu l'Qasim al Iraqui* (Geber) in *Isis,* Wandelgem-le-Gand, 1926.

— *Alchemy*, Harmondsworth, 1953.

Hopkins, A. J. : *Alchemy, Child of Greek Philosophy*, Londres, 1930.

Horapollo Niliacus : *The Hieroglyphics*, Bollingen Series XXIII New York, 1950.

Isis : éd. George Sarton, Wandelgem-le-Gand...

Jewish Encyclopaedia, The : éd. I. Singer, 12 vol., New York, et Londres, 1925.

Johnson O. S. : *A Study of Chinese Alchemy*, Londres, 1928.

Jung, Carl Gustav : *Psychology and Alchemy* in *Collected Works*, vol. 12, Londres, 1953.

— *Mysterium Conjunctionis*, in *Collected Works*, vol. 14, Londres, 1963.

Khalid : *Liber Secretorum*, et *Liber trium verborum* (B).

Khunrath, Heinrich : *Amphitheatrum sapientiae*, Hanau, 1609.

Lambspringk : *De lapide philosophico figurae at emblemata* (E).

Larguier, Léo : *Le Faiseur d'or Nicolas Flamel*, Paris, 1936.

Lenglet du Fresnoy, Pierre-Nicolas : *Histoire de la philosophie hermétique*, Paris et La Haye, 3 vol., 1742.

Li Shi Chang : *Travels of an Alchemist*, éd. Arthur Waley, Londres, 1931 et 1963.

Liber de arte chymica (B).

Liber de magni lapidis compositione (F).

Madathanus, Henricus : *Aureum saeculum redivivum* (E).

Maier, Michael : *Atalanta fugiens, hoc est, emblemata nova de secretis naturae chymica*, Oppenheim, 1618.

— *Secretioris naturae secretorum scrutinium chymicum*, Francfort s/Main, 1687.

— *Symbola aureae mensae duodecim nationum*, Francfort s/Main, 1617.

Malvasius, Caesar : *Aelia Laelia Crispis non nata resurgens*, Bologne, 1683.

Marie la Prophétesse : *Practica in artem alchimicam* (B).

Mead, George Robert Stow : *Thrice Greatest Hermes*, 3 vol., Londres, 1949.

Meung, Jean de : *Demonstralio naturae* (E).

BIBLIOGRAPHIE

Mennens, William : *Aurei velleris sive sacrae philosophiae vatum selectae et unicae Libri tres* (F).

Merlinus : *Allegoria de arcano lapidis* (B).

Micreris : *Tractatus Micreris suo discipulo Mirnefindo* (F).

Morienus Romanus : *De transmutatione metallica* (B).

Mutus Liber : *see* Altus.

Mylius, Joham Daniel : *Philosophia reformata,* Francfort s/ Main, 1622.

Norton, Thomas : *The Ordinall of Alchemy* (G).

Occult Observer, The, Londres, 1949-1950.

Paracelse (Theophrastus Bombastus von Hohenheim) : *Aureoli Philippi Theophrasti Bombasts von Hohenheim Paracelsi : Philosophi und Medici Opera Bücher und Schriften,* Strasbourg, 1589-1590.

Penotus : *Caracteres secretorum celandorum* (F).

— *De medicamentis chemicis* (F).

Quinquagintaseptem canones de opere physico (F).

Petrus de Silento : *Opera* (F).

Philalethes, Eirenaeus : *Introitus apertus ad occlusum regis palatium* et *Fons chymicae veritatis* (E).

— *Preparation of the Sophic Mercury,* Londres, 1893, 1963.

Read, John : *Prelude to Chemistry,* Londres, 1939.

Ripley, Sir George : *Omnia opera chemica,* Londres, 1649.

— *Duodecimum portarium axiomata philosophica* (F).

— *The Bosom Book of Sir George Ripley,* Londres 1893, 1963.

Rosarium philosophorum (B).

Rosencreutz, Christian (= Johann Valentin Andreae) : *Hermetik Romance or the Chymical Wedding,* trad. de E. Foxcroft, Londres, 1690.

Rosinus ad Euthiciam (B).

Rosinus ad Sarratantam Episcopum (B).

Roth-Scholtz, Friedrich : *Deutsches Theatrum Chemicum,* 3 vol., Nuremberg, 1728-1732.

Ruland, Martin : *A Lexicon of Alchemy,* Londres, 1892.

Ruska, Julius : *Die vision des Arisleus,* « Georg Sticker Festschrift », Berlin, 1930.

— *Studien zu Muhammad ibn Umail,* in *Isis* XXIV, Bruges, 1935-1936.

— *Tabula Smaragdina,* Heidelberg, 1926.

— *Turba Philosophorum,* Berlin, 1931.

Ruysbroeck, John of : *Scala Philosophorum* (B).

Scott, Walter : *Hermetica,* 4 vol., Oxford, 1924-1936.

Sendivogius, Michael : *Parabola, seu Aenigma Philophicum... Novum lumen chemicum,* et *Tractatus de Sulphure* (F).

Senior : *De chemia Senioris antiquissimi philosophi libellus* (C) et (F).

Singer, Mrs Charles (Dorothea Waley) : *Catalogue of Western Alchemical Manuscripts,* 3 vol., Union Académique Internationale, 1928-1931.

Starkey, George : *The Oil of Sulphur,* Londres, 1665, 1893, 1963.

— *The Stone of the Philosophers* (XVIIᵉ siècle), Londres, 1893.

Steinerus, Henricus : *Dissertatio chymico-medica inauguralis de Antimonio,* Bâle, 1699.

Stolcius de Stolcenberg, Daniel : *Viridarium Chymicum,* Francfort s/Main, 1624.

Taylor, F. Sherwood : *The Alchemists,* Londres, 1951,

Tetzen, Johannes de (Johannes Ticinensis) : *Processus de Lapide Philosophorum,* Hambourg, 1670.

Thorndike, Lynn . *A History of Magic and Experimental Science,* 8 vol., New York, 1923-1958.

Trismosin, Salomon : *Aureum vellus, oder Guldin Schatz und Kunstkammer,* Rorschach, 1598 (comprenant *Splendor Solis* comme *Tractatus Tertius).*

— (Edition anglaise de *Splendor Solis :* Alchemical treatises édité par G. K., Londres, 1920)

Turba Philosophorum (B).

Valentin, Basile : *Chymische schriften,* Hambourg, 1677.

— *De prima materia lapidis philosophici* (E).

— *Opus praeclarum ad utrumque* (F).

— *The Triumphal Chariot of Antimony,* éd. A. Waite, Londres, 1893 et 1962.

BIBLIOGRAPHIE

Vaughan, Thomas : *The Works of Thomas Vaughan ; Eugenius Philaletha,* éd. A. E. Waite, Londres, 1919.

Waite, Arthur Edward : *The Holy Kabbalah,* Londres, 1929.

— *The Real History of the Rosicrucians,* Londres, 1887.

— (éd. et trans.) *The Hermetic Museum, Restored and Enlarged,* 2 vol., Londres, 1893 et 1953.

Waley, Arthur : (trans.) *The Way and Its Power,* Londres, 1934.

White, Richard, of Basingstoke : *Aelia Laelia Crispis Epitaphium,* Dordrecht, 1618.

Wilhelm, Richad : *The Secret of the Golden Flower,* avec un commentaire de C. G. Jung, Londres et New York, 1931 et 1962.

Zacharias, Dionysius : *Opusculum philosophiae naturalis metalorum, cum annotationibus Nicolai Flamelli* (F).

Le Chimiste. Gravure de Le Bas d'après Teniers.

Sources des illustrations

B. N. Paris. Cl. Éd.R. Laffont / 16. B. N. Paris. *Musaeum hermeticum*. Cl. Éd. R. Laffont / 19. B. N. Paris. Cl. Éd. R. Laffont / 23. Archives Éd. R. Laffont / 30. Cl. Bildarchiv Marburg / 32. B. N. Paris. Cl. Éd. R. Laffont / 37. Istamboul. Bibl. du Musée de Topkapi — extrait de *La Peinture arabe*, Skira / 39. B. N. Paris. Cl. Éd. R. Laffont / 43. B.N. Paris. Codex latin 7171 : *Turba philosophorum*. Cl. B. N / 55. Cl. B. N. Paris / 58. Cl. British Museum. Londres / 60-61. B. N. Paris. Ms français 343. Cl. B. N. / 66. B. N. Paris. Ms français 22 495. Cl. B. N. 71. Cl. Giraudon. Paris / 73. Cl. B. N. Paris / 77. Cl. Roger-Viollet. Paris / 78-79. Cl. Giraudon. Paris / 81. Museo Civico. Bologne. Cl. Éd. R. Laffont / 85. Cl. B. N. Paris / 89. B. N. Paris. Ms français 14 765. Cl. B. N. / 91. Cl. B. N. Paris / 94. B. N. Paris. Ms français 14 765. Cl. B. N. / 98. Cl. Staatliche Museen. Berlin / 101. Cl. B. N. Paris / 103. Bibl. de l'Arsenal. Paris. Ms 975. Cl. B. N. / 106. Fotogram. Cl. Corson. Paris / 111. Cl. Roger-Viollet. Paris / 119. Bibl. de l'Arsenal. Paris. Ms 6577. Cl. Éd. R. Laffont / 124. B. N. Paris. Ms 7147. Cl. B. N. / 112. Cl. Staatliche Museen. Berlin / (haut) 127. B. N. Paris. Cl. Éd. R. Laffont / (bas) 127. Cl. British Museum. Londres / 129. B. N. Paris. Cl. Éd. R. Laffont / 131. Cl. B. N. Paris 132-133. B. N. Paris. Cl. Éd. R. Laffont / 136. Cl. British Museum. Londres / 141. Bibl. de l'Arsenal. Paris. Ms 973. Cl. B. N. / 143. B. N. Paris. Cl. Éd. R. Laffont. / 147. B. N. Paris. Cl. Éd. R. Laffont / 149. Cl. Giraudon. Paris. / 153. Bibl. de l'Arsenal. Paris. Ms 974. Cl. B. N. / 157. B. N. Paris. Cl. Éd. R. Laffont / 160. B. N. Paris. Cl. Éd. R. Laffont / 165. Bibl. de l'Arsenal. Paris. Ms 3019. Cl. Éd. R. Laffont / 167. B. N. Paris. Codex latin 7171. Cl. B. N. / 171. Bibl. de l'Arsenal. Paris Ms 975. Cl. B. N. / 173. B. N. Paris. Cl. Éd. R. Laffont. / 177. B. N. Paris. Cl. Éd. R. Laffont / 182. B. N. Paris. Cl. Éd. R. Laffont / 184. Cl. Oscar Savio. Rome / 186. Bibl. de l'Arsenal. Paris. Ms 5061. Cl. B. N. / 188. Cl. Giraudon. Paris / 192-193. Cl. Roger-Viollet. Paris / 196. B. N. Paris. Cl. Éd. R. Laffont / 199. Cl. B. N. Paris / 201. Bibl. de l'Arsenal. Paris. Ms 6577. Cl. Éd. R. Laffont / 203. B. N. Paris. Cl. Éd. R. Laffont / 205. B. N. Paris. Cl. Éd. R. Laffont / 207. Cl. British Museum. Londres / 213. B. N. Paris. Codex latin 7171. Cl. B. N. / 219. Herbert C. Orth courtesy Sidney M. Edelstein Foundation / 221. B. N. Paris. *Musaeum hermeticum*. Cl. Éd. R. Laffont / 224. Cl. B. N. Paris / 228. B. N. Paris, Ms français 14 765. Cl. B. N. / 231. Bibl. de Reims. Ms 672. Cl. Chevallier / 233. B. N. Paris. Cl. Éd. R. Laffont / 235. B. N. Paris. Cl. Éd. R. Laffont / 239. B. N. Paris. Cl. Éd. R. Laffont / 243. Cl. British Museum. Londres / 246. B. N. Paris. Cl. Éd. R. Laffont / 253. B. N. Paris. Cl. Éd. R. Laffont / 256. Cl. British Museum. Londres / 259. Cl. Roger-Viollet. Paris / 266. Fotogram. Cl. Corson, Paris / 269. B. N. Paris. Cl. Éd. R. Laffont / 273. Cl. Science Museum. Londres / 275. Cl.U.S.IS / 279.

Table des matières